陳慶浩・鄭阿財・陳義主編

越南漢文小說叢刊 第二輯 第一冊

嶺南摭怪列傳

嶺南摭怪列傳 卷三・續類

嶺南摭怪外傳

天南雲籙

臺灣學生書局印行

《越南漢文小説叢刊》第二輯　總目錄

聽聞異錄
喝東書異
安南國古跡列傳
南國異人事跡錄

第五册

雨中隨筆
敏軒說類
會真編
新傳奇錄

《越南漢文小說叢刊》第二輯 前言

在《越南漢文小說叢刊》第一輯總序中，我們將越南漢文小說分成神話傳說、傳奇小說、歷史演義、筆記小說和現代小說五大類。並指出現代小說「是本世紀以來，受西方文化和中國白話文學影響而創作的現代白話小說，數量不多，勉強算作一類，可以算是上四類的附錄」。因此，在談到傳統越南漢文小說時，指的是前四類作品。但在《越南漢文小說叢刊》第一輯中，我們並沒收入神話傳說。主要原因是這類作品版本繁多而且複雜，當時我們並沒有掌握到充分的資料。《越甸幽靈集》雖已排好版，但發現有若干版本還沒收集到，校對稿不能呈現全書不同系統的面貌時，就決定撤版。提起這段舊事，還要感謝學生書局同仁對學術的熱誠，同意出版這樣一套冷門書本已不易，蒙受撤版損失亦毫無怨言。我們將神話傳說作爲本輯的重點，藉以彌補第一輯未能編入這類資料的遺憾。

神話傳說是民族精神之所寄，是民族早期歷史曲折的呈現；各民族早期歷史幾乎都是由神話傳說構成的，越南亦不例外。《大越史記全書・外紀・卷之一》的史事，就和本輯收入的《嶺南摭怪》大致相同。《嶺南摭怪》部份故事採擷自古代史書，而它又是後世史家汲取的對象。但不論史書還是故事書，源泉都是口頭流傳的神話傳說。《越甸幽靈》和《嶺南摭怪》是越南現存最古老、最重要的神話傳說集，就目前掌握到的資料，編纂成書當在十四、五世紀間。書編成後又屢經後人增添補續，互相引錄，形成了你中有我、我中有你的局面。其他故事集更是輾轉抄襲，增刪重編。故研究者需將全部資料集中整理，方能觀其脈絡，見其演變之跡象。爲此，我們不單輯錄《越甸幽靈》和《嶺南摭怪》最早版本，亦兼容並蓄，將補續部分同時收入。對於不同系統的本子，雖故事相同而文字有較大差異，無從以校記錄入者，亦另行刊出，不避重複。蓋研究資料，不嫌其多，唯恐其不全耳。本輯收錄未全之資料，當收入後出叢刊中。

越南神話傳說讀起來特別親切：李翁仲固是耳熟能詳的人物，神龜築城之傳說既見於《華陽國志》，至今仍有故事流傳。〈鴻厖傳〉謂涇陽王娶洞庭君龍王女，使人想起唐人李朝威之〈洞庭靈姻〉（或稱〈柳毅〉、〈柳毅靈姻〉），以及由此發展出來的戲劇《柳毅傳書》。過往之論者以出現時代定先後，作爲《嶺南摭怪》所受中國文學影響之明證。我們認爲：與其說是互相因襲，不如指爲相同的來源。蓋神話傳說爲口頭文學，具傳承性、變異性諸特徵，不同時代不同地域者所記錄的同一故事，既有相同的母題，又有相異的情節。《嶺南摭怪》中，除了上舉三篇的某些情節，和中國古籍記載相合外，還有〈越井傳〉，與唐裴鉶的《傳奇》中〈崔煒〉一篇，有更多相同的情節。主角崔煒、配角鮑姑和玉京子等都相同，故事地點越井崗也是一樣的，可以看做同一故事的不同記載。《嶺南摭怪》記錄的是古代嶺南百粵民族的傳說，越南民族是百粵的一部份，越南和中國嶺南有相類甚至完全相同的傳說，一點也不奇怪。《越甸幽靈》既有地方的神祇，又有漢文化區共同的神祇，亦是很自然的。越南位於印支半島東部，印支半島是漢字文化圈和梵文文化圈的交接處，目前越南的中部、南部，過去是梵文文化區，一部越南國家發展的歷史，從文化的角度觀察，可以看作漢文化向南向西發展的歷史。正是在這一形勢下，越南所受印度文化的影響也是巨大的。《嶺南摭怪》的〈夜叉王傳〉是古代占城版的印度神話《羅摩衍那》，也是研究者公認的事實。

本輯刊出三種歷史演義小說：《皇越龍興志》是王朝歷史，《驩州記》是家族史，而《後陳逸史》則是地區性的個人的歷史。後兩者是王朝歷史的部份放大，而又可作爲皇朝史的補充。《越南漢文小說叢刊》第一輯中，我們刊出的三部歷史演義都是王朝史。《皇越春秋》記天聖元年（一四〇〇）至順天元年（一四二八）史事，《越南開國志傳》敍述黎英宗正治十一年（一五六八）至黎熙宗正和十年（一六八九）間阮氏崛起經過，《皇黎一統志》（又稱《安南一統志》）述黎朝景興三十八年（一七七七）至阮朝嘉隆三年（一八〇四）間史事，重點在敍寫黎朝覆滅的經過。本輯的《皇越龍興志》記景興三十四年（一七七三）至明命元年（一八二〇）史事，重點在阮朝興起的歷程。這四部王朝歷史演義，幾乎將越南自十五世紀至十八世紀的歷史，用小說的形式展示出來了。

《驩州記》（又稱《天南列傳阮景氏驩州記》）寫義靜（即古驩州）阮景家族前八世史事，特別是第五代阮景驩、第六代阮景堅、第七代阮景何、第八代阮景桂在「扶黎滅莫」，中興黎朝的功績，是一部以章回小說形式由本族後代修成的族譜，開創了「族譜小說」這一特殊的體裁，就我所知，在漢文小說世界中，這是前無古人、後無來者、別開生面的創作。

早期的中國歷史演義是藝人講史的底本，經下層文人整理成書的，有較多的民間通俗性。後來的歷史演義，有的已沒有經過講說的階段而直接創作，但一般來說，創作者都是下層文人，他們的歷史觀並不等同於官史。因而，在中國既有一套官方的歷史，又有一套民間的歷史；歷史演義是俗文學。越南的歷史演義，似乎都沒經過講史的階段而是直接創作。作者又都是較高層的官吏和文士。如果說早期的作品《皇越春秋》和《越南開國志傳》是後人據早期史料重新創作，還有較明顯的接受中國漢文歷史演義如《三國演義》影響的跡象，有較多的故事性；後期吳家文派所寫的《皇黎一統志》和《皇越龍興志》，則是以史家修史的態度，用章回小說的形式寫歷史。《皇黎一統志》的作者，寫的是他們身經的歷史；《皇越龍興志》作者寫的，是家族上一兩輩人身經的歷史。這兩本書，歷史性勝過文學性。越南漢文歷史演義的作者，不論寫的是王朝史還是家族史，都自覺到在補官修史書之缺失，並在序跋中明確地說出來。越南漢文歷史演義不是通俗文學。

本輯收書十七種，分五册。其中《驩州記》、《後陳逸史》、《雨中隨筆》、《喝東書異》、《敏軒說類》五種是越南社會科學院漢喃研究所同仁校定的。《嶺南摭怪》最早的版本二卷本是漢喃研究所陳義教授整理的，後續的本子則是臺北中國文化大學朱鳳玉教授和蔡忠霖先生校點的。其它十一種書都是中國文化大學中文研究所越南漢文小說校勘小組師生校點的。各書校點者芳名，標於該書扉頁。越南漢喃研究所參與本書的工作，是由陳義教授組織安排的。中國文化大學中文研究所越南漢文小說校勘小組由鄭阿財教授領導。越方負責的六種書，除校勘標點外，又撰寫出版說明。撰寫者芳名附於文末。其中《後陳逸史》、《雨中隨筆》和《敏軒說類》出版說明用漢文撰寫，其它三種用越文。越文出版說明是由北京大學東語系顏保教授和他的高足盧蔚秋、田曉華、雷慧翠三位女史翻成漢文的。四位並翻譯本輯各書及其作者的相關越文資料，供撰寫出版說明時參考。本輯所有喃字，都是顏保教授翻譯成中文的。巴黎的劉坤霖先生也從越文翻譯若干參考資料，於此一並致謝。本輯各書正文、校記及出版說明，都由我和鄭阿財兄審訂，並作成定稿。這套書是臺北、河內、北京和巴黎四地研究者協作的成果。

《越南漢文小說叢刊》第二輯得以順利出版，首先要感謝法國遠東學院院長汪德邁（Vandermeersch）教授。和上一任院長一樣，他贊同我所提出的漢文化整體研究的構想，接納我在遠東學院建立漢喃研究小組的建議，使得越南漢文小說研究計畫，成爲學院研究計畫的一部分，因而得以充分利用該院的資料和設備。由於遠東學院的資助，陳義教授和顏保教授得以從東方來巴黎和我一道作短期合作研究。遠東學院繼續與學生書局合作出版這套叢書。

我還要感謝越南社會科學院漢喃研究所的合作，提供本輯部分資料。感謝漢喃所同仁陳義、黃文樓、臨江、范文深四位先生和阮氏銀、阮金鶯兩位女士參加本輯的工作。

越南漢文小說的整理和研究是法國遠東學院和漢喃研究所的合作研究計畫，並已成爲法國和越南文化交流的一個項目。這套書是這項目的一個成果。

《越南漢文小說叢刊》第一輯是王三慶教授所領導的，中國文化大學中文研究所越南漢文小說校勘小組成員協作編出來的。三慶兄後來應邀去日本天理大學任客座教授，得以收集日本漢文小說資料，和我合作編纂《日本漢文小說叢刊》，故改由鄭阿財教授領導校勘小組，負責第二輯的編纂工作。參加本輯工作的，有朱鳳玉教授、張繼光、陳益源、蔡忠霖先生和汪娟、吳翠華小姐。我也於此致謝。

《叢刊》第一輯出版後，得到社會的鼓勵，除了有不少書評外，又獲得當年行政院新聞局頒贈的圖書類圖書主編金鼎獎。但銷路奇差，估計至今還未能還本。而臺灣學生書局諸位執事先生，本著對文化的熱忱，明知要擔負虧損的風險，還毅然繼續出版這一套書，這是我深心感激的。

兩年半前，我以〈十年來的漢文化整體研究〉爲題，爲陳益源兄的《剪燈新話與傳奇漫錄之比較研究》寫序時，對漢文化整體研究的意義說過一段話，我覺得還能代表我目前的看法，抄錄下來供參考：

> 隨著科技的發展，世界各地已可以朝發夕至了。人類生活在一個小小的地球，歷史產生出來的國家，以及由國家產生出來的種種問題，又在新的歷史形勢下發生變化。歐洲十二國

組成的共同市場，將在一九九三年起消除國界，並可展望將由經濟的統合發展到政治統合。政治家們已為二十一世紀提出歐洲聯邦的構想。產生兩次大戰的歐洲在合作情勢下，消弭戰禍於無形。反觀東亞，歷史上有過多少次大大小小的戰爭，即到當代還沒有停止過。歐洲的和平合作，為我們提供一個榜樣。通過經濟上政治上的合作，一個東亞聯邦，是不是也可在下世紀產生出來？從國家向超國家的聯邦整合，是當前歷史發展的方向，不能順應此一形勢的，在一個充滿競爭的世界中，將被拋到後頭。而漢文化區是東亞的支柱，未來東方的整合，會從漢文化區開始的。畢竟有共同的文化背景，有同質的價值觀人生觀，彼此的了解和合作是較自然的。漢文化的整體研究，正是為東亞未來的合作，墊個穩固的基礎。這就不單是學術研究的意義了。

當前西歐在加快整合的速度，歐洲共同市場各國紛紛在批准馬斯垂克條約，西歐將由經濟的整合發展到政治的整合，有單一的市場、共同的貨幣和整體的外交政策，甚至有統一的軍隊，北歐和東歐各國，亦都表示加入此一共同體的意願，有些國家如瑞典、瑞士、挪威等正申請加入此一共同體，而美國、加拿大和墨西哥，亦宣佈組成單一市場。面對這樣的形勢，東亞諸國，特別是漢文化區諸國，又將何去何從？

是爲序。

陳慶浩

一九九二年九月於巴黎

《越南漢文小說叢刊》第二輯　校錄凡例

一、本叢刊所編小說一律選擇善本作爲底本，各本文字則據底本原文迻錄。

二、除底本外若有其他複本可資參校者，則持以相校；其有異文，則擇善而從，並出校記說明之。

三、若文句不順，且乏校本可據者，爲使讀者得以通讀，則據文義校改，並出校記說明之。

四、凡爲補足文義而意加之文字，則以〔〕號括別之。若爲原文之錯字、別字，則於注通行正字於原字下，並以（）號括別之。

五、凡底本或校本俗寫、偏旁誤混之字，隨處都有，此抄本常例，則據文義逕改，不煩另出校記，以省篇幅。

六、又迻錄時，均加標點分段，並加人名、書名、地名等專有私名號。

七、凡正文下雙行註文，一律以小字單行標示。又正文有眉批者，則於適當字句下加註說明。若眉批不屬於某一字句者，則於各段後加註說明。

八、凡正文中，偶有喃字，一律譯成漢字，並將原文錄入註中。

嶺南摭怪列傳

目 錄

嶺南摭怪列傳　卷之二

嶺南摭怪列傳卷三・續類　目錄

嶺南摭怪外傳

目　錄

天南雲籙

目錄

陳義 校點

嶺南摭怪列傳

嶺南摭怪列傳　出版說明

「嶺南」指五嶺（華南的五座山）南面一帶土地，是古代越族生息、繁衍的地方。「摭怪」列傳收集了那些稀奇的、「非尋常」的、正史不記載的故事。總的來說，嶺南摭怪是一本收集了古代嶺南地區的民間故事，「不待刻之石，編之梓而着于民心，碑于人口，黃童白叟率能稱道而愛慕之」（嶺南摭怪列傳序）。

根據武瓊❶的說法，後來被收進嶺南摭怪的人名都是「李、陳之鴻生碩儒」，而潤飾校訂該作品的人都是「黎之好古博雅君子」（嶺南摭怪列傳序）。武瓊沒有查出編撰者是何人，但我們知道粵甸幽靈集的作者李濟川❷對武瓊時代嶺南摭怪至少提供了四個故事：李翁仲傳、傘圓山傳、龍眼如月二神使、蘇瀝江傳等。或者也可以聯想到越南世志的作者胡宗鷟❸，他記述了從鴻厖氏到趙佗王朝的許多事跡。這些事跡與嶺南摭怪中大部份故事的內容、性質和地點是一致的。武瓊也沒有指明潤飾者的姓名，但鄧鳴謙❹、武方提❺黎貴惇❻都曾提到與武瓊同時代或更早的陳世法❼，他編撰，改寫了散見于古書中的民間故事，並集成嶺南摭怪錄。

在前人所取得的成績的基礎上，武瓊編出了嶺南摭怪列傳，共二卷，二十二個故事，加一篇序寫于一四九二年（洪德十三年）。根據該序所述，武瓊編入書中的故事包括鴻厖氏傳、夜叉王傳、白雉傳、金龜傳、檳榔傳、西瓜傳、蒸餅傳、何烏雷傳、董天王傳、李翁仲傳、一夜澤傳、越井傳、徐道行阮明空傳、楊空路阮覺海傳、魚精傳、狐精傳、龍眼如月二神傳、傘圓山傳、南詔傳、蠻娘傳、蘇瀝傳、木精傳等。

在武瓊的嶺南摭怪列傳問世一年後，喬富❽亦完成一部包括二十二個故事，一篇序的嶺南摭怪。根據序言所說，喬富所選的故事與武瓊所選的故事是一樣的，但喬富是根據新的觀點和新的評論方式重寫的。例如他認爲不能說傘圓山是嫗妃之子，董天王是龍君再世，李翁仲假裝因腹瀉而致死……（見喬富的嶺南摭怪版本A一三〇〇）。該序言沒有說明喬富的書分成幾卷。現存的許多嶺南摭怪版本都以喬富的序作爲武瓊版本的「後序」，這完全是無根據的牽強附會的做法。

到了十六世紀中葉，段永福在武瓊的嶺南摭怪傳中加抄了一些故事稱爲「續類」，並寫了一篇後跋，其中有一段說：

> 今觀嶺南摭怪列傳本無姓名，不知何代儒生之草創。是乃洪德士子慕澤、澤塢、武先生顯擢危科，博學好古，釐爲二卷，始于鴻龐，終于夜叉，凡二十二傳，爲之序，並于卷端，可謂奇偉之書矣。間有士仙、塑王等傳，石龍、白鶴諸神殊未續編，不能無遺珠之惜也。愚昨錄公餘借本抄誦，及于聖賢之英，岳瀆之粹，徵貞女之驍雄，乾聖娘之靈應，及事之關世教者，必稽之以趙公史記，參之越甸幽靈增蒐補遺，去繁就簡，得傳之本，幷類入後集以便本家要覽也。

這是一篇至今尚鮮爲人知的重要後跋。它告訴人們武瓊的嶺南摭怪傳，除了包括二十二個故事，一篇序，共分二卷……等特點外，還有一個值得注意的地方是：全書始于鴻厖傳，終於夜叉傳。段永福的後跋還說明了編撰成三卷和「續類」的理由，以及段氏寫的補充部份所依據的資料。

到了十八世紀，武欽鱗又做了段永福曾經做過的工作：「續補」嶺南摭怪。隨着這種趨勢的發展，該書將有可能成爲一本由各代有名或無名的筆者所收集的許多古代民間故事的總集。

如今我們知道嶺南摭怪共有十一個版本，其中十個版本現藏于漢喃研究所，編號爲A三三，

A七五〇，A一二〇〇，A一三〇〇，A一五一六（馬麟逸史），A一七五二，A二一〇七，A二九一四，VHV一二六六，VHV一四七三，還有一個版本藏于史學院，編號爲VH四八六。

下面是各個版本的具體情況：

1.A三三：一四四頁，26.5×14.5 cm，武瓊序，加目錄，二十二個故事，共二卷。

2.A七五〇：阮翰准一九一一年奉考。這是河內阮有敬保存的嶺南摭怪列傳與巴黎H. Maspero保存的包括三十九個故事不分卷次的嶺南摭怪列傳的對照本。

3.A一二〇〇：武瓊，卯戌年（一四七八）進士，京北道監察御史校正，一二六頁，30.4×21 cm，有一份目錄，共分三卷。

4.A一三〇〇：洪德二十四年（一四九三）喬富寫序，共一五〇頁，25×14.5 cm，一篇序（喬富寫的），一份目錄，三十六個故事，分上下兩卷，有增補，續補各一，該書缺頭、尾數頁。

5.A一五一六（馬麟逸史）：一六六頁，25×18 cm，武瓊寫序，一份目錄，不分卷。

6.A一七五二：一〇〇頁，27×15.5 cm，三十八個故事，不分卷。

7.A二一〇七：一五四頁，25×16 cm，武瓊寫序，段永福寫跋，一份目錄，三十九個故事，分三卷和一部「續類」。

爲了更清楚地了解各個版本的異同，可參看下面的對照表：

嶺南摭怪各版本的對照表

書序	書名	書目編號	第1卷故事數	第2卷故事數	第3卷故事數	續編、續補故事數	故事總數	書的特點
1	嶺南摭怪列傳	HV 486	10	12	17	3	42	卷1＋卷2＝22 個故事，以鴻厖傳始，夜叉傳止，篇目與武瓊序相一致。
2	嶺南摭怪列傳	VHV 1473	10	12	17	3	42	同　上。
3	嶺南摭怪列傳	A 2914	10	12	17	0	39	同　上。
4	嶺南摭怪列傳	A 33	12	10	0	0	22	卷1＋卷2＝22 個故事，以鴻厖傳始，何烏雷傳止，篇目與武瓊序不一致。
5	嶺南摭怪	A 11200	12	12	21	0	45	卷1＋卷2＝24 個故事，以鴻厖傳始，士傳止，篇目與武瓊序不一致。

6	嶺南摭怪	A 1300	10	16	0	7 + 3	36	卷 1 + 卷 2 = 26 個故事，以（？）傳始，周龍王傳止，篇目與武瓊不一致。
7	嶺南摭怪列傳	A 2107		38			38	不分卷。
8	嶺南摭怪	A 1752		38			38	不分卷。
9	嶺南摭怪	A 1266		38 + 35			73	不分卷，有異文部分。
10	嶺南摭怪考正	A 750		39			39	不分卷，是阮翰准的與H. Maspéro（？）的兩個《嶺南摭怪》版本的校定本。
11	馬麟逸史	A 1516		41			41	許多故事摘自《嶺南摭怪》

通過上述的對照表，我們可以看到第一號（ＨＶ四八六）、第二號（ＶＨＶ一四七三）和第三號（Ａ二九一四）是屬于武瓊編的版本，而段永福增加了三卷和「續類」。第四號（Ａ三三），第五號（Ａ一二〇〇）和第六號（Ａ一三〇〇），雖也分卷一卷二等等，但有的篇目與武瓊版本不一致（如Ａ三三缺夜叉傳，卻有貳徵傳），或者卷一卷二的故事超過武瓊版本的故事數目（如Ａ一二〇〇有二十四個故事，Ａ一三〇〇有二十六個故事）自第七號以後，書不分卷，是否其中有喬富編撰的？但在傘圓山傳、董天王傳、李翁仲傳中仍很少按照喬富的觀點來編寫，大多數都說傘圓是「嫗姬之子」，董天王是「龍君再世」，李翁仲也是「假裝因腹瀉而致死」，這意味着這些故事是根據武瓊思路寫的！這就是後人隨意修改增刪，攙和的結果，由於大家認爲文章是公用工具的觀念，所以故事中往往沒有一個段落，甚至一個句子是完全一樣的。

面對各種版本多變化和複雜情況，我們選擇了ＨＶ四八六，ＨＶ一四七三和Ａ二九一四各版中卷一和卷二的故事，即確信這些是武瓊的版本，把它們作爲這次出版校勘的對象，希望能給讀者帶來一個最古老、最可靠的版本。

ＨＶ四八六版本與另外兩個版本比較，它是最老的，所以被選爲底本，我們稱之爲「甲本」。ＶＨＶ一四七三本稱爲「乙本」，Ａ二九一四版本稱爲「丙本」，將用來作校對參考資料。

在校勘過程中，我們努力不遺漏任何一個詞句或者一個細節，只要它們在參考研究方面是有價值的。

附註

❶ 武瓊（一四五二—一五一六）：字守樸，號澤塢，唐安（今海興平江）縣慕澤鄉人，官至工部、吏部、兵部尚書，兼國子監司業，史館總裁。除校訂和整理嶺南摭怪外，還編撰出越鑑通考、火成算法。

❷ 李濟川：籍貫及生卒年月不清楚。通過他一三二九年爲粵甸幽靈集所寫的序，我們可以知道他在陳朝任守大藏書火正掌中品奉御史安暹路轉運使。

❸ 胡宗鷟：演州土城鄉人，居住在塘豪（今屬海興省）縣無礙鄉。生卒年月不詳，只知他在陳藝宗紹慶年間（一三七〇—一三七二）中狀元，官至翰林學士奉旨兼審刑院使中書令。胡朝（一四〇〇—一四〇七）執政時，他告老還鄉，八十歲時去世。

❹ 鄧鳴謙：字貞譽，號脫軒，河靜（今義靜省）干祿縣人，後遷至山西（今屬河山平省），生卒年月不詳。在爲越鑑咏史詩集所寫的序中，他說曾于洪順年間（一五〇九—一五一六）在史館見到一本陳世法的嶺南摭怪錄。

❺ 武方堤（一五九七—？）字純甫，與武瓊同鄉。在公餘捷記中，他說武瓊曾與陳世法合編嶺南摭怪集。

❻ 黎貴惇（一七二六—一七八四）字尹厚，號桂堂，山南下鎮延河鄉（今爲太平省延河縣富孝鄉）人。在見聞小錄第四卷第四a頁中，他說：傳聞嶺南摭怪一書係陳世法作，小徵南本亦如是也。

❼ 陳世法：生卒年月不詳，只知他的字式之，家鄉在石室（今屬河山平省）。

❽ 喬富（一四四六—？）字好禮，號寧山，國威（今屬河山平省）府臘下村人。

嶺南摭怪列傳　補充說明

陳義敎授對《嶺南摭怪》各版本作過詳細的研究，確定武瓊所編二卷二十二則故事本，爲《嶺南摭怪》的原本，其他各本則爲後人隨意修改增刪的本子；因此選擇了HV 486、HV 1473 及A 2914 等三本中的卷一卷二加以校點、排印，希望提供讀者一最古老、最可靠的版本。

但從文獻的觀點來看，段永福增加的卷三與續類，雖非古老的原本，當予區分，然究竟不失爲越南漢文小說之寶貴材料，自然有其價值，實不宜捨棄；因此，此次整理，特以HV 486 爲甲本，而以VHV 1473 爲乙本，校點、排印，附之於後，以供參考。

又除前提諸本外，今所得見尚有遠東博古學院藏編號A. 2107號之《嶺南摭怪列傳》。此本全書凡一百五十四葉。每半葉七行，行二十一至二十二字。首題「嶺南摭怪列傳」，無序，無目。此本所載內容較武瓊編二卷本爲多，且其見於武瓊本者，文字亦多所不同，實頗具參考價值。今特據抄本微卷影印校點、排印，附之於後以供參考。

書影

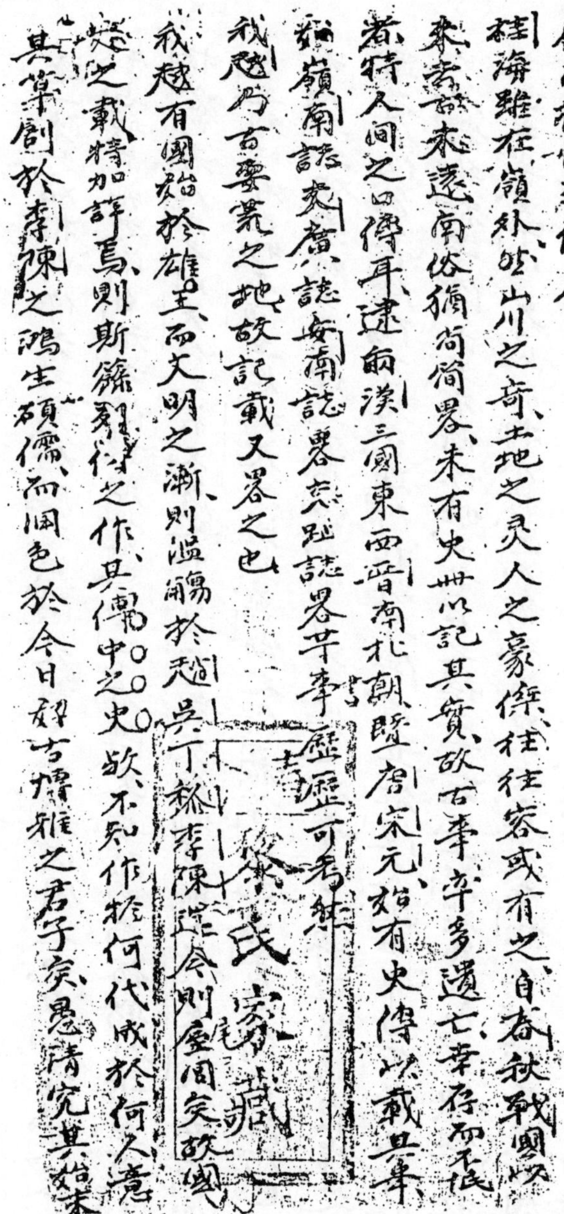

嶺南摭怪列傳序

桂海雖在嶺外然山川之奇土地之靈人之豪傑往往容或有之自春秋戰國以來去古未遠南俗循尚簡略未有史冊以記其實故古事率多遺亡幸存而不泯者特人間之口傳耳逮兩漢三國東西晉南北朝隋唐宋元始有史傳以載其事若嶺南誌交廣誌安南誌略交趾誌略其事歷歷可考焉

我越乃古要荒之地故記載又略之也

我越有國始於雄王而文明之漸則濫觴於趙吳丁黎李陳迄今則盛周矣故國史之載特加詳焉則斯編列傳之作其傳中之史歟不知作於何代成於何人意其草創於李陳之鴻生碩儒而潤色於今日好古博雅之君子矣愚請究其始末

遂一陳之、而推明作者之意、如鴻龐氏傳、是詳言皇越開創之由、叙文王傳、是器
慶占城前兆之漸、白雉有傳、書越裳也、金龜有傳、史安陽也、南俗聘禮所重莫檳
榔若也、表而出之、則夫婦之義、兄弟之睦、於是乎彰矣、南物夏時所貴莫若西瓜若也、揭而
言之、則恃有己物、不顧主恩、於是乎著矣、烝餅之傳、嘉孝養也、烏雷之傳、戒淫行也、
董天王之破殷賊、李翁仲之滅匈奴、而國有人可知也、褚童子之偶逅媚娘、崔偉之
遭逢仙侶、為善陰騭可見矣、道行孔路等傳、獎其能復父仇、而禪僧之澤鳥可依
也、魚精狐精等傳、喜其能除妖怪、而雄君之德不可忘也、二張忠義死為土神、推而表
之、誰云不可、傘圓英靈、能排水族、顯而彰之、孰曰不然、其夫南詔為趙武之後、而國
亡能為復登、蜜娘為木佛之母、而識早能作霖雨、蘇瀝為龍肚之神、楊狂為猫

書影

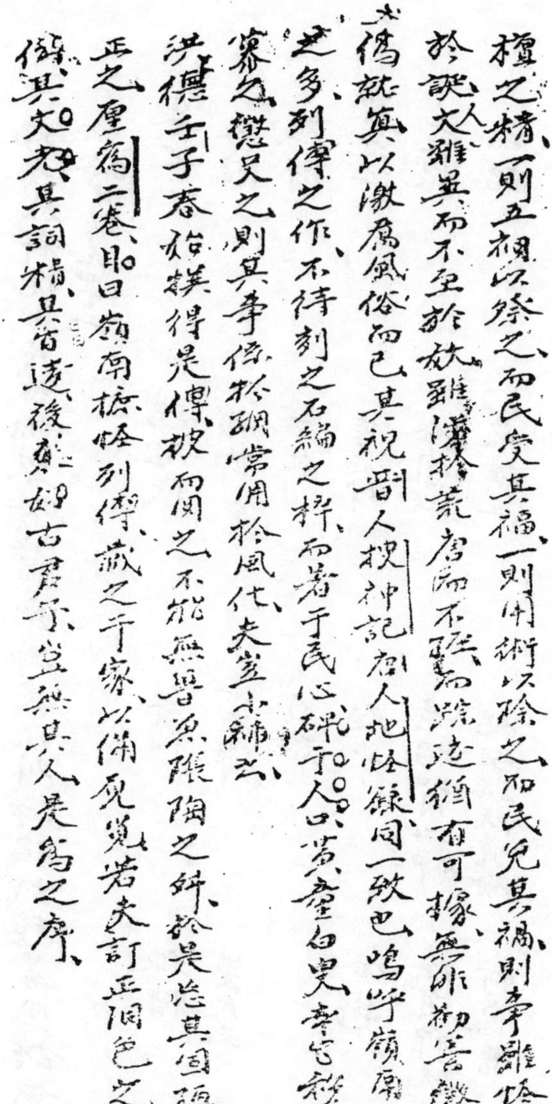
禋之精、一則五祀以祭之、而民受其福、一則用術以禳之、而民免其禍、則事雖怪而不至於誕、人雖異而不至於妖、雖濫於荒唐而不悖、而蹤迹猶有可據、無非勸善懲惡、去偽就真、以激厲風俗而已、其視晉人搜神記、唐人地怪錄同一致也、嗚呼、嶺南奇事之多、列傳之作、不待刻之石、編之梓、而著于民心、碑于人口、黃童白叟、舉皆稱道而愛慕之、懲戒之、則其事係於綱常、關於風化、夫豈小補云、洪德壬子春、始獲得是傳、披而閱之、不能無魯魚陳陶之舛、於是悉其固陋、校而正之、釐爲二卷、目曰嶺南摭怪列傳、藏之于家、以備觀覽、若夫訂正潤色之、俟夫博雅、其知我、其詞精、其旨遠、後之與好古君子、豈無其人、是爲之序、

旹

書影

洪德二十三年仲秋節

賜戊戌科進士茂林郡東北道監察御史洪川澤塢武瓊晏温謹識

摭怪目録凡四十二

卷之一　鴻厖氏　魚精　狐精

木精　檳榔　一夜澤　董天王

蒸餅　西瓜　白雉

卷之二　李翁仲　越井　金龜

蚩狼　傘圓山　扈眼咄二神　徐道行阮明空

南詔　蘇瀝江　楊空路阮覺海　何烏雷

書影

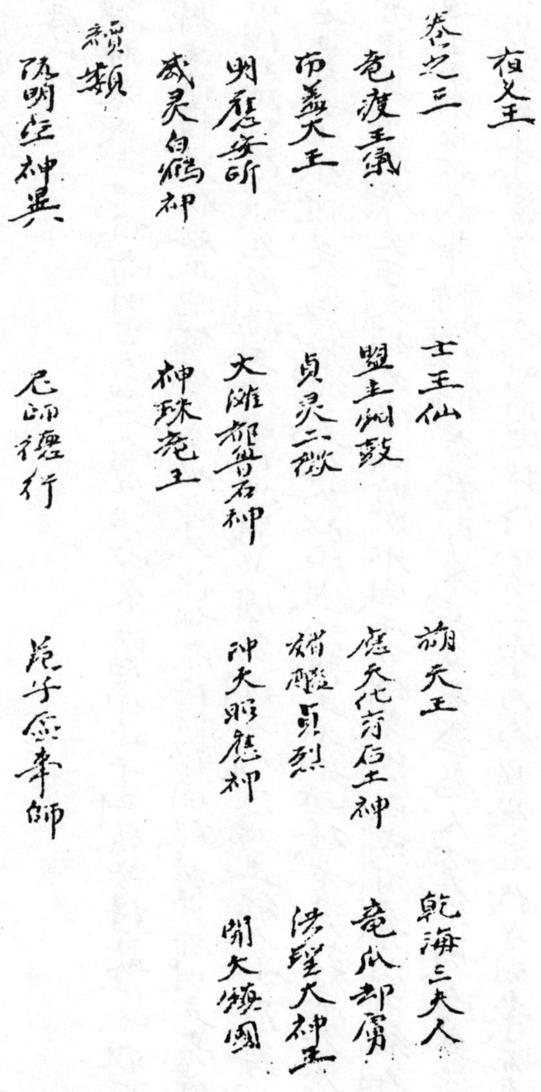
右丈王
卷之三
七王仙
蒴天王
乾海三夫人
竜渡王氣
盟主佩鼓
應天化霄石土神
竜爪却勇
布義大王
貞靈二徵
猫醜貞烈
法望大神王
明應安所
大灘都督石神
沖大那應神
開大嶺國
威靈白鶴神
神跡竜王
續類
陰明丘神異
尼師禮行
范子盛來師

書影

嶺南摭怪列傳卷之壹

鴻厖氏傳

炎帝神農氏三世孫帝明生帝宜、帝宜生帝來既而南巡至于五嶺接得婺仙女悅之而納之歸生祿續容貌端正聰敏夙成帝明奇之使嗣帝位祿續固讓於兄帝明立宜為嗣以治北地封祿續為涇陽王治以南地號其國為赤鬼國涇陽王能入水府娶洞庭君女曰龍女生崇纜號為貉龍君代父以治國涇陽王不知所終龍君教民衣食始有君臣尊卑之序父子夫婦之倫或時歸水府而百姓晏然民或有事則呼貉龍君曰逋乎不來以救我輩（南人呼父曰逋呼君曰𢀨）龍君即來其威靈感應人莫能測帝宜傳帝來以北方無事因思及祖帝明南巡接得仙女之事乃命臣崇左代守國事而南巡

嶺南摭怪列傳序

桂海雖在嶺外然山川之奇土地之灵人之豪傑物之英異往往容或有之自春秋戰國以來去古未遠南俗猶尚簡畧未有史冊以紀其寔故事率多遺亡其幸存而不泯者特人間之口傳耳秦、两漢三國東西晉南北朝暨唐宋元始有史傳以載其事如嶺南誌交廣誌畧交趾誌畧等書在在可考然我越乃古要荒之地故記載又畧之也我越有國始於雄王而文明之漸則濫觴於趙吳丁黎李陳迄于今則屋闕矣故國史之載独加詳焉則斯録列傳之作其傳中之英猗不知始於何代成於何人意其草創於李陳之鴻生碩儒而潤色於今日好古博雅之

一

書影

摭怪目錄　凡四十二傳

蘇瀝江傳　楊孔路阮覺海傳　何烏雷傳　夜叉王傳

卷之三

士王僊傳　朔天王傳　乾海门三位夫人傳

竜肚王氣傳　盟主銅鼓傳　應天化育后土神傳

竜爪却房傳　布蓋大王傳　貞靈二徵傳

媚醯貞烈傳　洪聖大神王傳　明應安所傳

大灘都魯石神傳　冲天昭應神傳　開天鎮國傳

威靈白鶴神傳　神珠竜王傳

四

書影

書影

續類

阮明空神渠傳

尼師德行傳

范子虛事師傳

嶺南摭怪列傳序

嶺南雖在外嶺方，於山川之秀，土地之靈，人之美，事之神異，容或有
之。自春秋戰國以前，去古未遠，文獻猶缺，而畧未有史冊已記其實。
故古事遂遺亡，其幸存而不泯，特民間之口傳耳。迄西漢三國
東晉南北朝，暨唐宋元明，始有史傳以載其事，如嶺南志、交
廣志、安南志畧，載其傳不足可考。然或越雖在漢之間，而誌
載者之也。於其國雖說，至而之冊[illegible]越[illegible]
迄于今日則尚矣。故下史考[illegible]之作[illegible]

嶺南摭怪列傳目録十傳之上

鴻厖氏傳　魚精神傳　狐精神傳　木精神傳　檳榔之傳

一夜澤傳　董天王傳　蒸餅之傳　西瓜之傳　白雉之傳

十二傳卷之中

李翁仲傳　越井之傳　南詔之傳　蘇瀝之傳　傘圓之傳

龍眼如月二神傳　徐道行傳　余[illegible]之傳　重[illegible]之傳　何[illegible][illegible]傳

夜叉王傳　楊空路阮覺海傳

卷之下十七傳

嶺南摭怪列傳　序

桂海雖在嶺外，然山川之奇，土地之靈，人之豪傑，物之英異❶，往往容或有之。自春秋、戰國以來，去古未遠，南俗猶尙❷簡略，未有史册以記其實，故古事率多遺亡。其❸幸存而不泯者，特民❹間之口傳耳。逮兩漢、東西晉、南北朝，暨唐、宋、元始有史傳以載其事，如嶺南誌、交廣誌、安南誌略、交趾誌略等❺，事歷歷可考。然我越乃古要荒之地，故記載又略之也。

我越有國始於雄王，而文明之漸則濫觴於趙、吳、丁、黎、李、陳❻，迄于今則屋闔矣，故國史之載特加詳焉，則斯籙列傳之作，其傳中之史歟？不知作❼於何代，成於何人❽，意其草創於李、陳之鴻生碩儒，而潤色於今日好古博雅之君子矣。

愚請究其始末逐一陳之，而推明作者❾之意。如鴻厖氏傳是詳言我❿越開創之由，夜叉王傳，是略敍占城前兆之漸，白雉有傳誌越裳也；金龜有傳，史安陽也。南俗聘禮所重莫檳榔⓫若也，表而出之，則夫婦之義、兄弟之睦於是乎彰矣。南物夏時所貴者，莫西瓜若也⓬。揚而言之，則特有己物，不顧主恩於是乎著矣。蒸餠之傳，嘉孝養也。烏雷之傳，戒淫⓭行也。董天王之破殷賊，李翁仲之滅匈奴，南國有人可知也。褚童子之邂逅仙容⓮，崔偉之遭逢仙偶，爲善陰騭可見也。道行、孔路等傳獎其能復父仇⓯，而禪僧之輩烏可泯也。魚精、狐精等傳稱⓰其能除妖怪，而龍君之德不可忘也。二張⓱忠義死爲土神，旌而表之，誰云不可？傘圓英靈能排水族，顯而彰之孰曰不然？與夫南詔爲趙武之後，而國亡能爲復讐；蠻娘爲木佛之母而歲旱能作霖雨；蘇瀝爲龍肚之神；猖狂爲旃檀之精，一則立廟以祭之而民受其福，一則用術以除之而民免其禍，則事雖怪⑱而不至於誕，人雖異而不至於妖，其說⑲雖涉於荒唐不經而踪跡猶可據，無非勸善懲惡，去僞就眞以激勵風俗而已；其視晉人搜神記，唐人地怪錄，同一致也。嗚呼！嶺南奇事之多，列傳之作不待刻之石，編之梓而著于民心，碑于人口，黃童白叟率能稱道而愛慕之，懲艾之，則其事係於綱常，開於風化⑳，夫豈小㉑云。

洪德壬子春愚始得㉒是傳，披而閱之，不能無魯魚陰陶之舛，於是忘其固陋，校而正之，釐爲二卷，目曰《嶺南摭怪列傳》，藏之于家，以備觀覽。若夫訂正而潤色之，俾其事備，其文老，其詞精，其旨遠，後來好古君子豈無其人！是爲序。

時

洪德二十三年仲秋節。

賜戊戌科進士茂林郎京北道監察御史洪州澤塢武瓊晏溫謹識。

【校勘記】

❶甲、丙二本無「物之英靈」四字。

❷丙本「尚」，作「稱」。

❸甲、丙二本無「其」字。

❹甲、乙二本「民」作「人」。

❺乙本無「安南誌」三字。丙本「交趾誌略」作「載其事」。

❻ 丙本「李陳」下，有「世生碩儒」等字。
❼ 乙本「作」作「始」。
❽ 丙本「何人」下，有「姓名鐵錄」等字。
❾ 丙本「作者」作「制作」。
❿ 乙本「我」作「皇」。
⓫ 丙本「檳榔」作「芙蓾」。
⓬ 丙本「莫西瓜若也」作「所貴者莫若西瓜」。
⓭ 丙本「淫」作「色」。
⓮ 甲、乙二本「仙容」作「媚娘」。
⓯ 丙本「復父仇」作「復父讐」。
⓰ 甲、丙二本「稱」作「示」。
⓱ 丙本「二張」作「二貞」。
⓲ 丙本「怪」作「異」。
⓳ 甲、丙二本無「其說」二字。
⓴ 丙本「化」作「俗」。
㉑ 甲本「小」下，有「補」字。
㉒ 甲本「愚始得」作「始撰得」。

卷之一

鴻厖氏傳

炎帝神農氏三世孫帝明生帝宜❶，既而南巡至五嶺，接得婺仙女❷悅之，納而歸，生祿續❸，容貌端正，聰明夙成❹。帝明奇之，使嗣帝位。祿續固讓其兄帝宜，不敢奉命❺。於是帝明立帝宜爲嗣以治北地，封祿續爲涇陽王以治南方，號其國爲赤鬼國。涇陽王能入水府，娶洞庭君女曰龍女，生崇攬，是爲貉龍君，代父以治國。涇陽王不知所終。

龍君教民耕種衣食❻，始有君臣尊卑之序，父子夫婦之倫，或時歸水國而百姓晏然❼。民或有事，則呼貉龍君曰：「逋乎，不來以救我輩（越人呼父曰吒曰布；呼君曰希是也）❽！」龍君即來，其威靈感應，人莫能測。

帝宜傳帝來，以北方無事，因思及祖帝明南巡接得仙女之事，乃命親臣蚩尤代守國事而南巡赤鬼國。見龍君以歸水府，國內無主，帝來乃留愛女嫗姬與部衆侍婢居于行在而周流天下，遍觀形勢，見奇花怪草，珍禽異獸，犀象玳瑁，金銀珠玉，椒桂乳香，沉檀等味，山殽海錯，無物不有。又四時氣候不寒不熱，心愛慕之而忘返。南國人民苦於❾煩擾不得安帖如初，日夜望龍君之歸，乃相率揚聲呼曰：「逋在何方❿？當速來救我。」龍君倏然而歸，見嫗姬獨居，容貌絕美，龍君悅之，乃化作一好兒郎，豐姿秀麗，左右前後侍從衆多，歌吹之聲達于行在。嫗姬見之，心亦悅從。龍君迎歸于龍裝岩⑪。及帝來還，不見嫗姬，命群臣徧尋天下。龍君有神術，變現百端，妖精鬼魅，龍蛇虎象，尋者畏懼，不敢搜索。帝來亦北還，再傳至帝榆罔，與黃帝戰於阪泉，不克而死⑫，神農氏遂亡。

龍君與嫗姬相處，其年而生得一胞，以爲不祥，棄諸原野。過七日⑬，胞中開出百卵，一卵一男，歸而養之，不勞乳哺，各自長大⑭，智勇俱全，人皆畏服，謂爲非常之兄弟。龍君久居水府，母子獨居，思歸北國。行至境上，黃帝聞之懼，分兵禦塞外，母子不得北歸，日夜呼龍君曰：「逋在何處？使吾母子悲傷！」。龍君忽然而來，遇於褒野。嫗姬泣曰：「妾本北人，與君相處，生得百男，無由鞠育⑮，請與君從，忽相遐棄，使爲無夫無父之人，徒自傷耳」。龍君曰：「我是龍種，水族之長，你是仙屬，地上之人，本不相屬。雖陰陽之氣，合而有子，然方類不同，水火相剋，難以久居。今爲分別，吾將五十男歸水府分治各處，五十男從汝居地上，分國而治，登山入水，有事相關無得相廢。」一百男各自聲受，然後辭去。

嫗姬與五十男居于峯[illegible]（今白鶴縣是也），自推尊其雄長者爲主，號曰雄王，國號文郎國。其國東夾南海，西抵巴蜀，北至洞庭，南至狐孫國（今占成國是也）。分國中爲十五部，曰交趾、朱鳶、寧山、福祿、越裳、寧海（今南寧是也）、陽泉、桂陽、武寧、伊驩、九眞、日南、眞定、桂林、象郡等部，命其群弟分治之。置其次爲將相。相曰貉侯，將曰貉將，王子曰官郎，女曰媚娘，司馬曰蒲正，奴僕曰鄒⑯，婢隸曰精⑰，稱臣曰瑰⑱，世世以父傳子曰父道，世主相傳皆號雄王而不易。時山麓之民漁于水，往往爲蛟蛇所傷，白於王。王曰：「山蠻之種與水族殊，彼好同惡易，故爲侵害。」乃令人以墨刺身爲水怪之狀，自是蛇龍無咬傷之患。百粵文身之俗實始于此。國初民用未足，以木皮爲衣，織管草爲席，以米滓爲酒，以桄榔僕櫚爲饌⑲，以禽獸魚蝦爲鹹，以薑根爲鹽。刀耕火種，地多糯米，以竹筒炊之。架木爲屋，以避虎狼之害。剪短其髮，以便入林。子初生也，以蕉葉臥之。人之死也，相舂⑳，今鄰人聞之，得來相救。男女嫁娶，先以鹽封爲問禮，然後殺牛羊以成禮。以糯飯入房中相食畢，然後交通，以此時未有檳榔故也。蓋百男乃百粵之始祖也。

【校勘記】

❶ 甲本「帝宜」下，有「帝宜生帝來」等字。
❷ 乙本「婺仙女」作「婺娘妾」。
❸ 丙本「祿續」作「續祿」。
❹ 丙本「聰明夙成」作「聖智聰明」。
❺ 甲、乙二本無「其兄帝宜，不敢奉命」等字。
❻ 甲本「耕種衣食」作「敎養衣食」；乙本作「敎民耕種農桑」。
❼ 丙本「晏然」下，有「是時以為無事，不知以其然也」一段。
❽ 甲、乙二本「越人呼父曰吒，曰布；呼君曰希是也」皆作「南人呼父曰逋，呼君曰希」。
❾ 甲本「於」作「此生」。
❿ 丙本「何」下，有「與化國主侵擾吾民」等字。
⓫ 丙本「龍裝岩」作「岱裝岩」。
⓬ 丙本自「再傳」至「神農氏遂亡」作「時北國蚩尤作亂，有熊國君軒轅黃帝修德以率諸侯舉兵攻之不克。蚩尤獸形人面，勇猛有威。或敎黃帝以發（？）獸皮旗鼓令而戰之，蚩尤乃驚畏而敗，徙于涿鹿，黃帝自立以

有其國。帝來聞之乃還北國，與黃帝三戰，不克，內（？）于落邑，神農氏遂亡」。

⑬ 丙本「七日」作「六、七月」。

⑭ 丙本「各自長大」作「各自有秀麗奇異。及長大，威猛捷敏，智勇兼全，人每畏服，謂其非常人之兄弟也」。

⑮ 乙本「育」作「養」。

⑯ 甲、乙二本「奴僕曰鄒」作「臣僚僕隸曰印」。

⑰ 甲、乙二本「精」作「稍」。

⑱ 丙本「瑰」作「塊」。

⑲ 甲本「饌」作「版」。

⑳ 乙本「相春」作「以杵春」。

魚精傳

東海之間有魚蛇之精焉，身❶長五十餘丈，多足如蜈蚣形，變化百端❷，靈異莫測。其行則動風雨，能噉食人，人甚畏之。

上古時有魚貌似人形，遊於東海岸，化成人，通言語，漸漸生長男女衆多，以魚蝦蛤蚧❸而食。又有蠻人生居海島以捕魚❹爲業，後亦成人，與蠻交易鹽米衣裳刀斧之物，常往來東海間。有魚精岩，石齒齟齬，橫截海濱，下有巨穴，魚精居之，民船過者多被其害，風濤險惡無路可通，欲開別途，頑石難鑿。會夜有仙人鑿石爲港，欲❺利行人。其港將通，魚精❻化爲白鷄❼鳴於山上，群仙聞之疑其曙，皆飛升（今呼爲佛淘涇❽）。龍君憫民被害，乃化作大船，令水府夜叉❾禁海神不作風濤，撑棹至魚精岩谷，佯持一人相投與食。魚精開口欲啗，乃以鐵塊通紅炎熱投之口中。魚精踴躍跳打❿其船。龍君斬其尾，剝皮脯於山上（今呼曰白龍尾）；其首流出海外化走狗去⓫。龍君以石塞海斬之，遂化爲狗頭（今呼爲狗頭山）。其身流入曼求（今猶呼爲狗曼求是也）⓬。

【校勘記】

❶ 甲、乙二本無「身」字。

❷ 乙本「百端」作「萬端」；丙本作「萬狀」。

❸ 乙本「蚧」作「蜊」。
❹ 甲本「漁」作「人」。
❺ 丙本「欲」作「啓」。
❻ 甲本「魚精」作「精魚」。
❼ 甲本「雞」作「鶴」。
❽ 乙本「涇」作「港」。
❾ 乙本「令水府夜叉」作「令水通」。
❿ 丙本「跳打」作「翻騰」。
⓫ 丙本「化走狗去」作「化為狗走去」。
⓬ 丙本「是也」下，有「俗曰狗求」等字。

狐精傳

昇龍之城昔號龍編之地，上古無人居焉。至李太祖泛舟珥河津，有雙龍引路，因名昇龍而都之，即今之京城也。

初其地之西有小石山，山下之穴有狐九尾，壽千餘年，能作妖怪，變化萬狀，爲人爲鬼，徧行人間。時傘圓山下蠻人架木結草以爲屋居。山上有神，蠻人奉之。神者教蠻人以耕織，造白色衣衣之，因呼曰白衣蠻。九尾狐化作白衣人入蠻衆中，與蠻人歌唱，誘取蠻人男女歸藏于小山石穴，蠻人苦之。龍君遂遣❶水府六部引水而上，攻破小石山，掘成大潭，其中深灣，呼爲尸狐澤（今西湖也），遂立寺觀以鎭壓之（今千年寺館羅寺是）。潭邊之西岸原野平夷，耕作田地，俗呼爲狐同❷，高壕之處民皆居之，俗呼爲狐村，其穴今猶呼爲魯狐潭焉。

【校勘記】

❶ 甲本「遣」作「退水府」。

❷ 丙本「狐同」作「魯狐同」。

木精傳

峯州之地，上古有一大樹，名曰旃檀，高千仞❶餘，枝葉蔽芾不知幾千丈❷。有鶴巢其上故名其地爲白鶴。其樹經久不知幾餘年❸。及枯遂化爲妖精，變現勇猛，能生殺人物。涇陽王以神術勝之，精化稍屈，然今日在此，明日在彼，變化不測，常食生人，民乃立祠❹而禱之。每歲終十二月三十日，用一生人爲祀，其精始安，民頗得寧，相傳呼爲猖狂神。西南地界近獼猴國，國王命婆路蠻人（今演州府）奪取山原獠子納之以禱，歲以爲常。及秦始皇命任囂爲龍川令，囂因革其弊，禁以生人爲祀，神怒陰殺之。是後，事之尤盛❺。

至丁先皇❻時，有法師俞文牟，本北地人，操行修潔，年四十餘，歷遊諸國，能通諸蠻言語，習傳得金身銅齒，到我國時牟已八十。先皇以師禮事之。始教以技術娛❼猖狂神而殺之。其法手❽有曰尙騎、尙竿、尙韃、尙碎、尙釣、尙險❾竿，或爲落馬人，或爲唱兒，每年十一月造飛橋高二十丈，以木樹立其中，以麻爲大索，長一百三十六尺❿，徑三⓫寸，以藤削纖織其外，索垂兩頭埋縛於地，索中處於樹上。尙騎騰踏其上，疾行二三度，往來不墜，頭戴⓬黑巾，身著黑裙⓭。尙竿索長一百五十六尺⓮，有三岐，兩人各持旗竿登行其索上，相遇三岐處，相避，升降不墜。或爲尙韃以大木方闊一尺三寸，厚七分，置於樹上，高十七尺，尙韃於其上飛踏二三度，進退顚倒。或爲尙碎以竹織籠形如魚笱長三尺，圍闊四尺，尙碎投身於其中，自立不倒⓯。或爲尙釣拍手踴躍，呼喝咆哮，搏手搏足⓰，撫骨膺脾，進退高下。或爲落馬人騎馬奔走，垂身取物於地而不落。或爲尙險竿人自仰臥，以足承長竿，令小兒緣之。或爲唱兒會打鉦鼓⓱噪亂喧諱。

宰殺生物以祭之，神精來食。見而觀之，法師持秘呪揮劍斬之，猖狂神及部衆類盡死。自是免歲薦之例，民得⑱全活焉。

【校勘記】

❶丙本「仭」作「丈」。
❷甲本「丈」作「里」；乙本「幾千丈」作「幾千里」。
❸丙本「年」下，有「後李白（？）奉大明國王遣李白騎千里馬往南國尋栴檀之處滅之。李白遂題詩于栴檀之樹上。詩曰：「白鶴古栴檀，人人到處閑，禁溪（？）高萬丈，帝弭（？）降頹殘。」李白題詩已畢乃上馬而走歸大明國。傾刻間，栴檀倒而枯死」一段。
❹乙本「祠」作「廟」。
❺甲本「盛」作「謹」。
❻丙本「丁先皇」作「丁天皇」。以下同。
❼甲本「娛」作「愚」；乙本作「遇」。
❽甲本「手」作「取」。
❾丙本「險」作「儉」。
❿甲、乙本「尺」皆作「丈」。
⓫乙本「三」作「四」。
⓬甲本「戴」作「帶」。

⑬ 丙本「身著黑裙」作「赤身黑裙」。

⑭ 甲、乙二本「一百五十六尺」作「一百五十丈」。

⑮ 丙本「自立不倒」作「自立而倒曳」。

⑯ 丙本「搏手搏足」作「轉倒手足」。

⑰ 乙本「鉦鼓」下，有「歌舞吟唱」等字。

⑱ 甲本「得」作「多」。

檳榔傳

上古時有一官郎狀貌高大，國王賜名高❶，因以高爲姓。生二男，長曰檳，次曰榔，二人相似不辨。兄弟年方十七八，父母俱亡，相與尋師學道，師事道士姓劉❷。劉家有一女年亦十七八，欲爲夫婦，不識其爲兄爲弟❸，乃以粥一盌，箸一雙與二人食，以觀其兄弟。見弟讓其兄而辨❹之，乃以實告父母嫁其兄，夫婦情愛日密。

至後，待弟或不如初。弟自生羞愧，謂兄愛妻而忘❺弟，乃不告兄而去。行至村野間，忽遇深泉，無船可渡，獨坐慟哭而死，化爲一榔出於其口（檳榔是也）。及兄覺失弟，辭❻妻追尋，見弟已死，遂投身於樹邊，成一石塊，蟠結樹根。妻怪其夫久不見還，乃追而尋之。及到處見夫已死，遂投身抱石，化爲一藤旋繞石上，葉味芳辛（芙蒥是也）❼。劉氏父母追思哀慟，乃立祠其地祀之。時人經此皆焚香致拜，稱其兄弟友順，夫婦節義。

七八月署氣未退，雄王巡行，常駐蹕避署於此，見祠前樹葉繁密，藤葉彌蔓，王登石審視❽，問之而知其事，嗟嘆良久，即令侍臣摘採藤葉，王親咬之，唾於石上，見其色鮮紅，覺爲佳味，乃取而歸，始命以火燒石爲灰與樹葉藤葉合一而食，甘脆芳辛，唇頰生紅，乃傳頒❾天下隨處栽植。凡嫁娶會同大小禮，皆以此物爲先，即今檳榔樹，芙蒥葉，石灰是也。此南國檳榔之時由始焉。

【校勘記】

❶ 甲本無「國王賜名高」等字。
❷ 丙本自「師事」至「有一女」作「而師劉玄道有一女」。
❸ 乙本「其為兄弟」作「其誰兄誰弟」。
❹ 乙本「辨」作「知」。
❺ 丙本「忘」作「棄」。
❻ 甲本「辭」作「棄」。
❼ 丙本以兄死化為「藤」，妻死化為「石」，與甲、乙二本不同。
❽ 乙本「王登石審視」作「王甚愛審視」。
❾ 乙本「頒」作「誦」。

一夜澤傳

雄王傳至三世孫，王生一女仙容媚娘，年十八，容貌秀麗，不願嫁夫，好遊行於天下❶，王嬖而許焉❷。每❸年二、三月間，裝載船艘浮遊海外，樂而忘返。

時江邊褚舍鄉❹有褚微雲❺生童子，父子二人性本慈孝，家遇大災，財物罄❻盡，惟餘一布袴，父子出入互相衣之。迨父老❼病謂其子曰：「父死則裸而葬之，留袴與汝，庶免愧恥」。及卒，以袴歛葬。童子身體裸露，凍餒無聊，去就江邊持竿釣魚。每望見商賈之船，則立水中行乞。不意仙容船猝至，聞其鍾鼓管籥之聲，見其儀仗❽羽旄之盛，童子驚怖，無所逃蔽。浮沙中有蘆葦一叢扶疎三四株，乃避隱其中，爬沙成穴以藏身，復以沙覆其上。頃刻之間，仙容駐船于此❾，遊次沙上，遂命以幔幮圍蘆葦爲沐浴之處。仙容入幔幮巾解衣沐浴，灌水而沙自散，露出童子身，仙容詛之良久❿，知其爲男子。仙容曰：「我不樂⓫嫁夫。今相遇此人，露居同穴，是天使之然也。汝當亟起沐浴！」賜之衣裳，遂使同下船飲食晏樂。舟中之人皆以爲嘉會，古今所無也。童子具道其所以，仙容嗟嘆，命爲夫婦。童子固辭。仙容曰：「天爲作合，又何辭焉？」⓬。

從者馳奏雄王。怒曰：「仙容不惜名節，不愛吾財，巡遊道路，下嫁貧人⓭，何面目見我！自今任汝不得回國。」仙容聞之懼不敢歸，遂與童子開市肆，立廟舍，與民買賣，便成大市⓮（今探市也）。外國商人往來⓯販賣，敬事仙容、童子爲主。有大商至告仙容曰：「貴人出鏹金一⓰鎰，今年與商人出海外買貴物，明年得息十鎰。」仙容喜謂童子曰：「我夫婦是天所作使然，衣食是人⑰所爲。今當取金一鎰與商人出海外買貴物，以爲生活。」童子遂與商人同行販賣，浮遊出海外⑱。有瓊圍山，山上有小庵，商人泊船汲水。童子登遊⑲其庵。庵有小僧名佚光，傳法與童子，童子遂留聽法，付金與商賣物，迨商回，復至此庵載童子歸⑳。僧乃贈童子一杖一笠，且曰「靈通已在此矣！」。童子回，具以佚道告仙容。仙容覺悟，遂廢市肆商業，相與遊方尋師學道㉑。有一日㉒遠行，日暮未及到家，暫息於途㉓，植杖覆笠以自蔽。逮夜三更，現出城廓，珠樓寶殿，臺閣廊宇，府庫廟社㉔，金銀珠玉，床席帷幕㉕，仙童玉女，將士侍衞羅列滿前。明日見者驚異，各持香花玉食之物進獻稱臣，始有文武百官，分軍宿衞，別成一國。

雄王聞之，以爲女子稱亂，發兵擊之。官軍將至，群臣請命以禦。仙容笑曰：「非我所爲，乃天所使。生死在天，何敢禦父?順受其正，任其誅戮。」一時新集之衆驚潰奔散㉖，惟舊衆在，與仙容同處。及官軍至，駐營於自然洲，猶隔大河，會日暮未及進軍。至夜半，大風忽起，揚沙拔木，官軍大亂。仙容部覺一時拔去升天。其地陷成大澤。明日人民望之不見，以爲靈異，遂立祠堂，時時至祭。名其澤曰一夜澤，其洲曰自然洲，或曰幔櫥洲，其市曰河市㉗。

後至前李南帝朝，梁軍來侵，南帝命趙光復爲將以禦之。光復率其藏居澤中。其澤深闊沮洳，難於進止。光復乘獨木船以便往來㉘。賊不知其所在。當夜暗以獨木船突出擊之，奪取糧食，持久以老其師㉙，三、四年間，鋒不能交㉚。伯先㉛嘆曰：「古謂一夜升天澤，信矣。」㉜會侯景作亂，梁主召伯先北還㉝，委裨將楊孱統其衆。光復齋戒設壇於澤中，焚香致禱。忽見神人乘龍降于澤中，謂光復曰：「我雖升上天，靈異尚在。汝能誠禱，故來救助，以平亂賊。」遂脫龍爪以受光復，曰：「以此揷兜鍪上㉞，所向成功。」言迄不見㉟。光復從其言奮身突擊，梁軍大敗，斬其將楊孱于陣前。梁軍敗走。光復㊱聞南帝殂，遂自立爲趙王，城于武寧郡之鄒山。

【校勘記】

❶丙本「好遊行於天下」作「好行遊戲，樂巡天下」。

❷丙本「王嬖而許焉」作「王愛嬖氏而許焉」。

❸甲本「每」作「辰」。

❹乙本「鄉」作「津」。

❺乙本「褚微雲」作「褚微」。

❻甲本「罄」作「散」。

❼甲、乙二本無「老」字。

❽甲本「伏」作「狀」。

❾丙本「仙容駐船于此」作「仙容之船遽至，乃留駐于此」。

❿甲本自「解衣」至「良久」作「解衣沃水，沙童子見良久」。

⓫乙本「樂」作「願」。

⓬丙本「天為作合，又何辭焉」作「事之會令如此，無復固辭」。

⓭丙本「怒曰」作「仙容不肖，其身失節，不悟貴物，遊巡道路，下嫁貧人。雄王曰」。

⓮丙本無「與民買賣，便成大市」諸字。

⓯丙本「往來」作「遠行」。

⓰甲本「一」作「十」。

⓱乙本「人」作「天」。

⓲乙本無「買貴物以為生活。童子遂與商人同行販賣，浮遊出海外」。

⑲ 甲本無「遊」字。

⑳ 丙本自「追商回」至「童子歸」作「期日回還至此庵將迎童子歸」。

㉑ 丙本「相與遊方尋師學道」作「夫妻相與遊方求師學道」。

㉒ 丙本「有一日」作「常」。

㉓ 丙本「未及到家，暫息於途」作「未到村舍，遽宿途中」。

㉔ 丙本「臺閣廊宇，府庫廟社」作「龍臺鳳閣，廊宇府庫」。

㉕ 丙本「床席帷幕」作「牙床玉席，錦帳綉帷」。

㉖ 丙本「時新集之衆驚潰奔散」作「時軍衆甫集，乃驚走散」。

㉗ 丙本「河市」作「河探市」。

㉘ 丙本「往來」下，有「梁軍未諳去處，則迷失衆所，光復藏身於此」一段。

㉙ 丙本「持久以老其師」作「梁軍屬失其機」。

㉚ 丙本「鋒不能交」作「梁軍不知其處，難以交戰」。

㉛ 甲本「伯先」作「覇先」。

㉜ 丙本「信矣」下，有「夫今乃留軍夜夜未遽刼」。

㉝ 丙本「北還」下，有「香山」二字。

㉞ 丙本「上」下，有「每有賊侵，以此向賊，賊每驚散。神說罷，因復升天」等字。

㉟ 甲本無「言迄不見」四字。

㊱ 甲本無「光復」二字。

董天王傳

雄王之世❶天下熙治，民物富庶。殷王以其缺朝覲之禮❷，將託巡守❸而侵之。雄王聞之，召群臣問攻守之策。有方士進言曰：「莫若求龍君以陰助。」❹王從之。遂築壇齋戒❺，置金銀幣帛於壇上，焚香致敬三日，天大雷雨，忽見一老人高六❻尺餘，豐❼面大腹，鬚眉皓白，坐於岐路，談笑歌舞，見者意非常人❽，人告於王。王親行拜之，迎入壇內。老人不言語，不飲食。王前來❾問曰：「今聞有北❿兵將來攻，勝負如何？⓫」老人良久索籌肅卜，謂王曰：「三年之後，賊來到之⓬。」王又問計。老人曰：「若賊來時，當嚴整器械，精練士卒，爲國家計⓭，且徧求天下⓮，能破賊則分封爵邑，傳之無窮。得其人則賊可破矣！」言訖，騰空而去，始知其爲龍君也。

比及三年，邊人告急有殷軍來。王如老人語，使人徧求天下，行至武寧郡扶董鄉。鄉中有富家翁年六十餘，生男三歲不能言，仰臥不能起坐。其母聞使者至，戲之曰：「生得此男，徒能飲食，而不擊賊，以蒙朝庭之賞，報乳哺之功⓯。」兒聞母言，勃然言曰：「母呼使者來⓰，試聞何事！」母大驚，喜告其鄉鄰，謂其子已能言。鄰人亦驚異，迎告使者。使者問曰：「爾小方能言，何爲呼我來？」小兒乃起坐，謂使者曰：「速歸告王，鍊爲鐵馬高十八尺⓱，鐵劍長七尺⓲，鐵笠一頂。兒騎戴以戰，賊自驚散⓳，王何憂乎？」使者馳回告王，王喜曰：「吾無憂矣！」群臣皆曰：「一人擊賊，如何可破？」王曰：「此龍君助⓴我，如前年老人所言，的不虛語。諸公勿㉑疑？」仍命秤鐵五十百斤㉒，鍊成鐵馬、鐵笠，使者賫至。母見而大驚，恐禍及已，憂懼告兒。兒大笑曰：「母但多具酒食與兒喫，擊賊之事母勿憂也！」

兒軀體驟大㉓，衣食日費，其家供給不足，鄰爲之養爨牛饌餅菓㉔之需，兒嘆不能充腹㉕。布帛綿纊之服不能蔽形，至取蘆花繼之。及殷兵至鄒山，兒始伸足而立，長十餘丈，仰鼻而噱連十餘聲，拔劍厲聲曰：「我是天將！」遂戴笠騎馬馳鳴以飛㉖，揮劍而前，官軍隨後，進逼賊壘，陣于武寧鄒山之下。殷軍大潰㉗，倒戈相攻。殷王戰死於鄒山，其餘黨羅拜曰：「天將！」皆來降服。行至安越朔山㉘乃脫衣服㉙，騎馬升天，獨留石跡於山上㉚焉。

王思其功勞無以爲報，乃尊爲扶董天王，立寺於本鄉之園宅，賜田一百頃，晨昏享之。殷世歷二十七㉛王六百四十四年，不敢加兵。四方聞之，亦皆臣服，來附於王。後來李太祖㉜封爲沖天神王，立廟在扶董鄉建初寺側，塑像在衞靈山，春秋致祭焉㉝。

【校勘記】

❶ 乙本「世」作「第六世」。

❷ 丙本「殷王以其缺朝覲之禮」作「殷王見南國無朝覲之禮」。

❸ 丙本「將託巡守」作「自率其兵巡守」。

❹ 乙本「助」作「相」。

❺ 丙本「遂築壇齋戒」作「遂設壇持齋戒」。

❻ 乙本「六」作「九」。

❼ 甲本「豐」作「黑」。

❽ 丙本「設笑歌舞，見者意非常人」作「笑談遊戲，歌吟舞蹈，人人見之，知其非常」。

9 甲本「前來」作「來前」。

10 甲本「北」作「此」。

11 乙本「如何」下，有「若有見聞，即具告我」等字。

12 丙本「來到之」作「來到此矣」。

13 甲本「計」作「威勢」。

14 丙本「且徧求天下」作「乃遣群臣徧求天下誰有奇才」。

15 乙本「功」作「恩」；丙本作「功勞」。

16 丙本於「來」後，尚有「到家子問」等字。

17 丙本「尺」作「丈」。

18 丙本「七尺」作「十七尺」。

19 甲本「散」作「破」。

20 甲、乙二本「助」作「救」。

21 丙本「勿」作「何」。

22 乙本「百斤」作「五十斤」。

23 乙本「驟大」作「忽然環大」。

24 乙本「煮爨牛饌餅菓」作「為之供酒饌菓」。

25 乙本「充腹」作「還腹」。

26 乙本「馳鳴以飛」作「馳走而飛」；丙本作「騎馬踴躍，馳鳴以飛」。

27 丙本「殷軍大潰」作「殷軍大驚敗潰」。

28 丙本「朔山」作「寧朔山」。

29 乙本「衣服」下，有「榕樹」二字。

㉚ 乙本「山上」作「山下」。

㉛ 乙本「二十七」作「二十八」。

㉜ 丙本「太祖」下，有「肇興」二字。

㉝ 丙本無「塑像在衞靈山，春秋致祭焉」。

蒸餅傳

雄王既破❶殷軍❷之後，國內無事❸，思欲傳位於子，乃會諸官郎公子二十二人，謂之曰：「我欲傳位，有能如我願❹，欲其以珍甘美味，歲終薦于先王❺以盡孝道，方可傳位」。於是諸子各搜水陸珍奇❻，多方❼魚獵市鬻，先務要異味❽，不可勝數。獨十八子郎僚母氏寒微❾，先已❿病故，左右寡少，難以應辨，晝夜憂思，寤寐不得。忽夢神人告以「天地之物，米獨爲貴⓫，所以養民，能壯人者也。人食不能厭，他物莫能先。若以糯米作餅，或舂粘爲圓以象天，或裹葉爲方以象地⓬，中藏美味，以則天地包涵萬物之狀，寓父母養育之恩，如此則親心可悅，尊位可得⓭。」郎僚驚覺，喜曰：「此神助我也，當遵而行之。」乃擇糯米之精白圓完無所缺者漸淅之潔精，以青葉有表⓮爲方形，置殊味於其中，羙而熟之以象地，號曰「蒸餅。」又以糯米炊之至熟⓯，搗而爛搏，作圓形以象天，號曰「薄搗餅。」。

至期王會諸子，具陳物饌⓰。歷而觀之，諸子所獻無物不有，惟郎僚作方圓餅以進，王異之。問諸郎僚，郎僚具對如神人所告。王親嘗之，百味皆有，適口不厭。諸子所陳，莫能加之。王嘆賞⓱良久，以郎僚爲第一，歲終節候當作郎僚所進蒸餅以奉父母。天下效之傳至于今。以其名郎僚，故呼爲「節料」。王乃傳位於郎僚。兄弟二十一人分守藩維，立爲部黨，據守山泉⓲，以爲險固⓳。

其後互相爭長不睦，各立木柵以遮護之，古曰册，曰雉⓴，曰莊，曰坊，自此始也㉑。

【校勘記】

❶ 丙本「破」作「掃除攻破」。
❷ 乙本「軍」作「兵」，丙本作「君」。
❸ 丙本於「無事」後，尚有「天下太平」等字。
❹ 丙本「願」作「意願」。
❺ 丙本「先王」作「王前」。
❻ 丙本「水陸珍奇」作「珍禽奇獸」。
❼ 乙本「多方」作「遠方」。
❽ 乙本「務要異味」作「務得異味」。
❾ 甲本「寒微」作「微寒」，丙本作「母族單寒」。
❿ 甲本「先已」作「已先」。
⓫ 丙本「天地之物，米獨為貴」作「天地之所貴不過於米」。
⓬ 丙本「或舂粘為圓以象天，或裹葉為象地」作「或圓或方以象天地之形，以青葉包其外」。
⓭ 丙本自「寓父母」至「可得」作「以形天地父母育人物之狀」。
⓮ 丙本「有表」作「包外」。
⓯ 乙本「至熟」作「要欲至熟」。
⓰ 丙本「具陳物饌」作「具陳設各物」。
⓱ 甲本「嘆賞」作「贊嘆」。
⓲ 丙本「泉」作「川」。

⑲丙本「險固」下，有「世傳之六下，家居童僕奴婢，刀耕火種，效獵漁網，民以食之」一段。

⑳丙本「雉」作「村」。

㉑丙本「曰莊，曰坊，自此始也」作「曰坊，曰州，遂以成俗」。

西瓜傳

昔雄王之世，有臣枚安暹，本外國人也。甫七、八歲商船載來，王買以爲奴❶。及長，面貌端正，記識事物，王賜姓枚，名偃，號安暹，賜之一妾，生得男女❷，寵任以事，漸成富貴，人咸畏服，苞首踵門，無物不有，遂生驕慢之心，常自❸言曰：「都是我前身之物，不曾顧有主恩。」

王聞之，大怒曰：「爲人臣子，不知主恩，自生驕慢❹，今始置於海外無人之地，尚有前身之物否？」。乃放枚偃于崁山❺海口外沙洲，四邊無人跡通焉，留之糧食纔足四、五月，使食盡而死。其妻恐慟曰：「我死於此無復生矣。」安暹笑曰：「天旣生我，天將養之。生死在天，吾何憂乎？」

居無何，忽有一白鳥飛從西來，止于山隅，鳴三、四聲❻，吐瓜核六、七個，落于沙上，萌自發生，延蔓茂盛，結成菓實，綿綿成夥。安暹喜曰：「此非怪物❼，乃天之所養我也。」剖而食之，其馨香❽而甜密，淡爽精神，多年植之，不可勝食。又以易穀米給食妻子。然不知其名，因鳥啣自西來，號曰「西瓜」。漁釣商賈之客共悅其味，各以所有並來貿易。遠近林港之民爭買其核，效其時種散及四方。

後王思之，使人就所居問其存否。其人來告于王。王嘆曰❾：「彼前身之言誠不虛也。」乃召還，復其官職，賜以奴婢❿，名其所居曰「沙洲⓫。」曰「安暹洲」，其窩曰「枚窩」，今峩山縣安暹洲是也。時或推安暹爲西瓜父母；至今猶存呼「西瓜祖妣」，蓋西瓜自安暹始也⓬。

【校勘記】

❶ 丙本，「王買以為奴」作「買進校安暹與王為奴」。
❷ 丙本「男女」作「一男」。
❸ 丙本無「自」字。
❹ 丙本「慢」下，有「謂都是前身之物」等字。
❺ 乙本「炭山」作「炭山」；兩本作「岩石」。
❻ 丙本「三、四聲」作「五聲」。
❼ 丙本「非怪物」作「乃奇物」。
❽ 乙本「其馨香」作「其味馨清」。
❾ 甲本無「後王思之，使人就所居問其存否。其人來告于王。王嘆曰」等字。
❿ 甲本「奴婢」作「奴」。
⓫ 乙本「沙洲」作「洲沙」。
⓬ 「乃召還」以下之最末一段，丙本作「乃遣使者往之！召安暹還京，將此物來進于王曰西瓜是也。王復還其職，賜之妻妾奴婢田土置沙洲名曰安暹洲，其在村曰枚村，今傳在清華峩山縣安暹是也」。

白雉傳

周成王時，雄王命其臣稱越裳氏獻白雉于周❶。言路❷不通，周公使人重譯然後始通。周公曰：「交趾短髮文身，露頭跣足，何由若此？」使者曰❸：「短髮以便入山林。文身爲龍府❹之形，遊泳於水，蛟蛇不敢犯。跣足以便緣木。刀耕火種以避炎熱。檳榔以除汚穢，故成黑齒。」周公曰：「何爲而來？」使者曰❺：「天無冽風淫雨，海不揚波，今❻三年矣，意者中國有聖人乎，故來！」周公嘆曰：「政令不施❼，君子不臣其人；德澤不加，君子不享其物。」及❽記黃帝所言❾曰：「交趾方外，毋得侵之❿。」賞以重物，教戒放回。越裳氏⓫忘其歸路。周公命賜軒車五乘，皆爲指⓬南之制。使者載之，由扶南、林邑海際，其年而至其國。故指南車嘗爲先導。後孔子作春秋，以文郎國爲要荒之地，文物未備，故置而不載焉⓭。

【校勘記】

❶ 丙本「獻白雉于周」作「持白雉以獻于周」。
❷ 乙本「路」作「語」。
❸ 乙本「曰」作「應曰」。
❹ 丙本「爲龍府」作「以象龍君」。
❺ 乙本「曰」作「應曰」。

❻ 甲本無「今」字。
❼ 丙本「施」作「致」。
❽ 丙本「及」作「所」。
❾ 甲本「言」作「誓」。
❿ 甲本「侵之」作「侵犯」。
⓫ 甲本「越裳氏」作「越裳使者」。
⓬ 丙本「指」作「回」。
⓭ 丙本最末一句作「後孔子作春秋，以文郎國不明風化，不關政教，不參于朝政，置之不考焉」。

卷之二

李翁仲傳

雄王季世，交趾、慈廉縣人[1]姓李名身，生而長大，高二丈三尺[2]，驍悍殺人，罪應至死[3]，雄王惜不忍殺[4]。

至安陽王時，秦始皇欲加兵我國，安陽王乃[5]以李身獻之。始皇得之甚喜，用爲司隸校尉。及始皇併有天下，使將兵[6]守臨洮，匈奴不敢犯塞，封爲輔信侯，仍命歸國。後匈奴再犯塞，始皇思李身，復[7]遣使來徵[8]，身不肯行，竄在村澤。秦人責之，安陽王尋久不得，詐云已死。秦問何由而死，以瀉泄[9]爲對。秦始皇遣使驗之。遂煑粥攪地中以爲寔跡。秦命以屍來。李身不得已，乃自刎[10]，以水銀塗其屍而納諸秦。始皇嘆息，鑄銅爲像，號翁仲[11]，置咸陽宮司馬門外，腹中容數十人，每四方使至庭，使人潛搖動，匈奴以爲生校尉，不敢近[12]。

至唐趙昌爲交州都護[13]，夜夢與李身講春秋左氏傳，因訪[14]其故宅，立祠祭之。迨高駢平南詔，常顯靈助順。駢重修廟宇，雕木立像[15]，號李校尉祠，今在慈廉縣布兒社[16]大河邊，去京城之西五十里[17]（布兒今改瑞香社），每年仲春致祭焉[18]。

【校勘記】

❶ 丙本「慈廉縣人」作「慈廉縣瑞香人，今在交州慈廉縣市，近大江邊」。甲本無「人」字。
❷ 丙本「三尺」作「八尺」。
❸ 丙本「罪應」作「罪累」；甲本「致死」作「至死」。
❹ 甲本無「殺」字。
❺ 甲本無「乃」字。
❻ 丙本「將兵」作「將十萬兵」。
❼ 甲本無「復」字。
❽ 乙本無「徵」字。
❾ 乙本「瀉泄」作「泄瀉」。
❿ 甲本「刎」作「殞」。
⓫ 丙本「翁仲」作「李公仲」。
⓬ 乙本「近」作「犯塞」。
⓭ 丙本「都護」作「司隸」。
⓮ 乙本「訪」作「問」。
⓯ 丙本「雕木立像」作「畫校尉像」。
⓰ 甲本「布兒社」作「布現社」；丙本作「瑞香社」。
⓱ 丙本「五十里」作「四十五里」。
⓲ 丙本「五十里」下，作「重興元年勅封威猛，四年加封英烈，興隆二十一年加輔信」。並無「每年仲春致祭焉」等字。

越井傳

越井在武寧郡❶之鄒山。雄王三世❷，殷王舉兵南侵❸，駐軍鄒山之下。雄王求助於龍君。龍君化爲董天王騎鐵馬以擊之，殷將士皆奔潰。殷王敗死於山下，爲地府君，民爲之立祠，四時奉祀。歲久寢衰，或廢成荒祠❹。本國人崔亮仕秦爲御史大夫，嘗經過其地，憫其頹壞，遂重修廟宇，因題詩云：

古人傳道是殷王，
巡狩當年到此方❺。
山秀水流空見❻廟，
精升跡在尚聞香。
一朝勝敗無殷德❼，
萬載威靈❽鎮越裳。
百姓從茲皆奉祀❾，
默扶國祚永無疆。

後至任囂、趙陀將兵南侵，復駐於此山，重修廟貌，嚴加奉祀。殷王感其德，欲報崔亮之功，使麻姑仙出境❿尋之。時崔亮已沒，惟子崔偉⓫尚在。正月上元節，方民遊于祠，或獻玻璨瓶一雙，麻姑⓬仙手持玩看，忽墜地破鐵，衆人捉取追償。麻姑衣敝衣⓭，人不知其爲仙，痛加箠楚⓮，崔偉見而憐之，解衣代償。麻姑得免，因問其所居，崔偉具道其父⓯之由。麻姑知其爲崔亮之子，喜謂偉曰：「今吾固無所報，他時必有以報之！」遂授偉以艾一束曰：「當謹守此物，不離於身，後見人有瘤疾，灸之即消，必得大富貴！」

偉受之，亦不識其爲⑯仙藥也。一日就親友道士應玄⑰家。玄有肉瘻在首⑱。偉曰：「我得艾一束，能治此疾，請爲治之。」玄許諾。偉乃以艾灸，其瘻自消。玄曰：「是仙藥，無物以⑲報，願以別恩報之。我有⑳親戚㉑貴人亦有此疾，常言誰能療治，則罄家財與不吝，請君治之，恩以爲報！」。

玄引偉至任囂家。囂使灸之，其瘻即癒。囂甚喜，養偉爲義㉒子，爲開學黨以教之㉓。偉性聰明，好鼓琴，囂女芳容見而悅之，因與私通，情意眷戀。囂子任夫知之，欲致于死。及歲終祀猖狂神，任夫意欲以偉祭之，乃誘偉曰：「年終㉔薦猖狂神，未得其人。今日不可外行，且入公廳以避之，庶無後悔。」偉不意從之。任夫鎖其門不得出。芳容知之，潛以刀㉕與偉，令鑿壁而出。夜間暗行欲趨就玄應家。

奔行山上，忽墜穴中，四顧皆石壁，無階可升其上㉖。有一石塊出石乳，流于石盌㉗，有一白蛇身長百丈，黃角赤口，赤鬣白鱗，頷下有肉瘻，額上有金字曰「玉京子蛇」，出食石乳，見乳盌空盡，舉首視偉欲呑之。偉恐㉘跪拜曰：「臣避難墜此，無以充腹，資食玉物，誠爲有罪。王頷肉㉙瘻，臣請以艾灸之，願寬臣罪，以盡小技！」蛇即仰首如求灸之狀。忽見野燒一片火飛下穴中㉚，偉取灸之，瘻即消癒。蛇㉛乃穹身引㉜偉前，意欲令偉乘之。偉即騎其背出穴中，當一㉝更，至岸㉞上，寂無人行㉟。蛇搖尾而㊱乃之，復入穴中。

偉獨行迷路，忽見一城門，上有高樓，赤瓦玲瓏，滲光照耀。門掛赤扁金字，題曰：「殷王城。」偉坐㊲門傍，頃刻無人往來。偉即步入門庭，見庭邊有池，其中有五色蓮花，池上有槐柳數行。街衢平坦，玉殿珠宮，廓宇宏敞。殿上設雙金床，鋪銀花席，上有琴瑟二張。偉徐徐來前，試把琴瑟鼓之，良久，見金童玉女數百餘人侍衞殷王后開門而出。偉大驚，趨下殿庭伏拜。后笑曰：「官人何自來㊳？」接引八㊴殿上，謂曰：「我殷王祠積年荒廢，賴崔御史重修之力。世人效之奉祀無窮。王已命麻姑尋來報德，不遇御史，止見公子，未有以報。今得覩其面，然上帝勅王朝天矣。公姑在此。」因留偉㊵，賜之以飲食，勸之醉飽。忽一人㊶長鬚大腹奉表跪奏曰：「正月三日，北㊷人任囂被猖狂神打死。」奏畢，后謂曰：「羊官人再引崔公歸世。」后謝送歸。羊官人使偉閉目㊸，坐於肩，間一刻餘，已至山㊹上。羊官人化作石羊立於山中，今猶在鄒山㊺越王祠。

後偉歸到應玄家具道其事。至八月初一日，偉又與玄出遊，見麻姑仙携一仙女賜偉，使爲夫婦，並賜以龍燧寶珠。是珠也，自開闢之初，已有雌雄一雙，由黃帝歷殷傳爲世寶。鄒山之戰，殷王佩之而死，埋藏地中。珠之光彩常冲天。秦時兵興，珍玩具焚。望氣者知龍燧珠寶尚在南方，遠來求索。至是殷王以珠報偉，北方人㊻以金銀鋌子價成五萬㊼買之，偉於是大富。後麻姑仙迎偉夫婦去，不知所之。今井已荒成涸㊽，穴猶在鄒山，俗傳爲越井岡云。

【校勘記】

❶ 甲本「郡」作「縣郡」。

❷ 丙本無「雄王三世」四字。

❸ 丙本「南侵」作「南侵文郎之國」。

❹乙本「或廢」作「無人奉祀」。甲本無「成」字。

❺丙本「此方」作「地方」。

❻丙本「空見」作「崇見」。

❼丙本「敗」作「負」；「無殷德」作「當」。

❽丙本「萬載威靈」作「萬古英靈」。

❾丙本「皆奉祀」作「留奉事」。

❿乙本「出境」作「出於境上」。

⓫丙本「偉」作「瑋」。

⓬甲本無「姑」字。

⓭乙本「衣敝衣」作「着敝衣」，丙本作「衣敝無以為償」。

⓮丙本「痛加」前，有「遂辱打」三字。

⓯丙本「其父」作「其父姓名」。

⓰甲本無「為」字。

⓱丙本「應玄」作「玄應」。

⓲丙本「首」作「身」。

⓳甲本「以」作「是」。

⓴甲本無「有」字。

㉑甲本「戚」作「識」。

㉒甲本無「義」字。

㉓丙本「教之」下，有「以禮賜偉學，待其時用之」。

㉔甲本無「終」字。

㉕ 丙本「刀」作「金刀」。

㉖ 乙本無「無階可升其上」。

㉗ 乙本無「有一石塊出石乳流于石盤」。

㉘ 乙本「恐」作「甚恐」。

㉙ 乙本「頷肉」作「額下」。

㉚ 丙本「野燒一片火飛」作「樵夫人燒山上飛一片炭」。

㉛ 丙本「蛇」作「蛇見無物報倬功」。

㉜ 甲本「引」作「向」。

㉝ 丙本「一」作「二」。

㉞ 丙本「岸」作「岩」。

㉟ 丙本「寂無人行」作「不見行人」。

㊱ 甲本無「而」字。

㊲ 乙本「坐」作「立」。

㊳ 丙本「何自來」作「何為不來」。

㊴ 甲本無「入」字。丙本「接引入」作「倬忽懼不敢自來。殷王后接引入」。

㊵ 乙本無「留倬」二字。

㊶ 乙本「忽一人」作「食罷忽一人」。

㊷ 甲本「北」作「此」。

㊸ 丙本「閉目」作「合眼」。

㊹ 丙本「山」作「岩」。

㊺ 甲、乙二本「鄒山」作「鄒陽」。

㊻ 甲本無「人」字。
㊼ 丙本「五萬」作「九十貫」。
㊽ 甲本「涸」作「汙」。

金龜傳

甌貉國安陽王原巴蜀人也，姓蜀名泮。因先祖求雄王之女媚娘爲婚❶不得而啣❷怨。泮欲成前志❸，舉兵攻雄王，滅文郎國，改號甌貉而居之。

築城於越裳之地，隨築隨崩。王乃立壇❹，齋戒祈禱。三月初七日，忽有❺一老人從西而來，直到城門嘆曰：「建立此城，何時而就！」王迎入殿上❻，拜而問曰：「我築此城既就復崩，傷損❼功力而不能，何也？」老人曰：「他日有清江使來與王同築方成。」言訖辭去❽。

翌日，王立東門望之，見金龜從東而來，立於水上，能作❾人言語，自稱「清江使者，明知天地陰陽鬼神之事。」王喜曰：「此老人所以語我也。」遂使❿以金輿⓫舁入城中，延坐殿上，問以築城不就之故。金龜曰：「此山川精氣，前王附之爲國報仇⓬。並有千載白雞化爲妖精，隱在七曜山。山中有鬼，乃前代樂工埋葬于此，化爲鬼。傍有一館宿人往來。館主名悟空，有一女，並有白雞一隻，是鬼精之餘氣。凡人往來至此泊宿，鬼精化爲千形萬狀，而害殺死者甚多。今當取白雞並館主之女殺之，其精自滅，彼必化爲妖書，令鵋鶀啣之，飛集旃檀之樹，奏于上帝乞壞其城。臣喫墜其書，王速收之，則城可就。」

金龜乃使王托爲行路人寓宿館中，置金龜於門楣上。悟空曰：「此館有妖精，夜常殺人，郎君不可宿。且今日未暮，宜速行他處，莫致取禍！」。王笑曰：「生死有命，鬼魅何爲！吾不足畏也。」乃留宿。夜間，鬼精從外來呼曰：「何人在此，不速閉門？」金龜叱曰：「閉門⓭汝何爲？」鬼精放火散⓮作萬狀⓯，詭異⓰多方，以驚怖之，終不得⓱入。至雞鳴時衆鬼散去⓲。金龜令王追躡至七曜山。鬼精收藏殆盡。王乃⑲還館。

明日館主呼人同來，欲行收葬宿泊人身屍，見王在坐，語笑自如⑳。館主趨拜曰：「郎君安得若此？是即聖人也！」乞求靈術以救生民。王曰：「殺爾白雞而祭，則鬼精盡散。」悟空從之，殺白雞而女子自然倒死。即命人拙七曜山，得古樂器及其骸骨燒搗成灰，投諸江流。時日將晚，王與金龜登越裳山，見鬼精已化爲鴡鶚啣書升旃檀上。金龜遂變爲鼠隨其後啣鴡足，書墜于地，王速收之，其書蠹食過半。

自是鬼精盡散，無復作怪。築城半月而就。其城延廣千丈，盤旋如螺形，故曰「螺城」，又曰「鬼龍城」；唐人㉑呼爲「殺鬼崑崙城」，謂其城最高也。

金龜與居三年辭歸㉒。王感謝曰：「荷君之思，其城已固。如有外侮，何以禦之？」金龜曰：「國祚修短，社稷安危，天之運也。人能修德，可以延之。王有所願，又何愛惜。」乃脫其爪授王，曰：「偶見㉓賊來，用此作弩，向賊前則無憂矣！」言訖遂歸東海。王自送之。因命其臣皋魯造弩以爪爲機，號靈光金爪神弩。

是後，趙陀南侵，與王交戰。王以神弩射之，陀軍敗走，屯于鄒山，與王對壘。陀知王有神機弩，不敢再戰，遣使請和。王喜，許小江㉔以北陀治之，以南王治之（今月德江）。未幾，陀遣子仲始入宿衞，求婚王女媚珠。王不意陀父子奸計，遂許之。仲始誘媚珠竊取神機弩，潛作別機，換取龜㉕爪藏之。詐媚珠以歸北省親，因曰：「夫婦之情不忍相忘，父子之恩不可偏廢。吾且歸省，萬一兩國失和，南北隔別，我來尋汝，將用何物表識？」媚珠曰：「妾爲女子㉖，遇此睽離，情難勝矣。妾有鵝毛錦縟常㉗附于身，到那時節拔毛置諸岐路以示所在，庶得相救。」仲始辭謝，挾機而歸㉘以告陀。陀得之大喜，發兵攻王。王恃神弩，不設備，圍碁自若，笑曰：「陀不畏吾神弩耶？」及陀軍進逼，王舉弩射之，神弩已失，衆遂奔潰。王坐媚珠於馬後南奔。仲始認鵝毛表跡㉙以追之。王奔至海濱，窮途無舟楫可渡。王大呼曰：「天喪㉚予乎？江使何在，速來救我！」金龜湧出水上，叱曰：「乘馬後㉛者，賊也，當殺之，吾方救汝！」王乃拔劍斬媚珠。媚珠臨死㉜仰祝曰：「妾爲女子，有叛逆之心，謀害其父，則死成微塵；若忠信㉝一節，爲人所詐，則化爲珠玉㉞，雪此讐耻！」。

媚珠死于海濱，血疏水上，蚌蛤吸入心㉟，化成明珠。王持七寸文犀，金龜開水引王入海。世傳演州高舍社夜山縣，是其處也。陀軍到此，茫無所見，惟有媚珠屍在。仲始抱其屍將歸螺城，化爲寶石。仲始痛惜不已，還粧浴處，想見媚珠形體，遂自投井底而死。後人有得東海明珠，以此井水洗之，色愈光明。因避媚珠，故呼明珠爲大玖、小玖云。

【校勘記】

❶ 丙本「婚」作「婚姻」。

❷ 丙本「御」作「成」。

❸ 丙本「泮欲成前志」作「泮長時不遂其志」。

❹ 丙本「壇」作「壇場」。

❺ 丙本「有」作「見」。

❻ 乙本「殿上」作「上殿」。

❼ 乙本「傷損」作「損傷」；丙本作「徒費」。

❽ 丙本「辭去」作「老翁倏然騰空而升」。

⑨ 丙本「作」作「說」。
⑩ 乙本「使」作「命」。
⑪ 丙本「輿」作「與」。
⑫ 乙本「仇」作「讐」。
⑬ 乙本「門」作「戶」。
⑭ 乙本「散」作「變」。
⑮ 丙本「萬狀」作「千形萬狀」。
⑯ 丙本「鬼異」作「變化」。
⑰ 乙本「得」作「能」。
⑱ 甲本「去」作「走」。
⑲ 丙本「乃」作「乃與金龜」。
⑳ 丙本「自如」下，有「王倏然告館主曰我安陽王到此館殺除鬼精以利人民往來」。
㉑ 甲本「人」作「王」。
㉒ 丙本「辭歸」作「去還洞庭」。
㉓ 乙本「見」作「有」。
㉔ 乙本「小江」下，有小注云「今月德雲」。
㉕ 乙本「龜」作「金」。
㉖ 甲、乙二本「女子」作「兒女子」；丙本作「兒女」。
㉗ 乙本「常」作「纏」。
㉘ 乙本「挾機而歸」作「挾弩機」。
㉙ 甲、乙二本無「表跡」二字。

㉚丙本「喪」作「負」。

㉛甲本「後」作「在後」。

㉜甲本無「臨死」二字。

㉝丙本「信」作「孝」。

㉞丙本「珠玉」作「美珠」。

㉟丙本「吸入心」作「含之」。

蠻娘傳❶

漢獻帝❷時，太守士燮築城于平江南邊（今天德江）。城之南舊有佛寺名福嚴。有僧自西來號迦羅闍梨，住持此寺，能立❸獨脚之法，男女老少❹，信慕敬奉❺，號爲尊師。人人皆求學佛道。

時有一女名蠻娘，父母俱亡，家中貧苦，亦篤求學道，然訥於言語，不能與衆誦經，常居厨竈擣米採薪❻，躬親炊爨，以供養一寺之僧及四方來學者。

五月間，夜刻短促。蠻娘供厨已熟，僧徒誦經未已，未暇食粥。蠻娘坐待，假寐於門閾間❼，不意忘饑熟睡。迨僧徒誦罷，各歸本房，蠻娘獨當門臥❽。僧闍梨步過其身，蠻娘歆然心動，腹❾裏受胎。三、四月間，蠻娘有慙色而歸，僧闍梨亦羞而去，至❿三岐路江頭寺居之。蠻娘滿月生獲一女，就江頭三岐路樹下，付與曰：「我寄此佛子與汝藏之，名戊佛道。」闍梨，蠻娘相辭而去。闍梨與蠻娘一杖曰：「我以此賜汝，汝還⓫見歲時大旱，當以杖掉地出⓬水，以救生民。」蠻娘敬受而還，復居本寺。每遇歲旱，常以此杖掉地，自然水泉湧出，民多賴之。

時蠻娘已八十⓭餘歲，適樹摧倒，流至寺前江濱，盤旋不去。人競斫爲柴，斧斤一皆破缺。乃相率鄰里三百餘人曳之⓮，不動。會蠻娘下濱洗手⓯，戲而撐之，樹即轉移，衆皆驚異。因使蠻娘曳之上岸，令匠人造爲佛像四相。逮斫樹中三段所藏女處，已化一石甚堅⓰，匠之斧斤盡缺。投之淵中，石放出光芒，刻餘始沈，匠人皆倒死。咸請蠻娘來禮拜，借漁人入水取之，迎入佛⓱殿，貼之以金而奉事之。闍梨始置佛相，名法雲、法雨、法雷、法電⓲。四方老少男女常聚此寺遊戲歌舞，世呼為「浴佛會」，至今猶存焉。

【校勘記】

❶ 甲本標題下，有小注作「在超類縣大寺社」。
❷ 丙本「獻帝」作「明帝」。
❸ 乙本「立」作「知」。
❹ 丙本「老少」下，有「供養應給」等字。
❺ 乙本「奉」作「事」。
❻ 丙本「禱米採薪」作「採米蒸粥」。
❼ 丙本「門閾門」作「閨中」。
❽ 乙本「獨當門臥」作「當門獨臥」；丙本作「當在房中睡」。
❾ 甲本「腹」作「胞」。
❿ 丙本「至」作「蠻娘行到」。
⓫ 乙本「還」作「若」。
⓬ 丙本「出」作「為」。
⓭ 丙本「八十」作「九十」。
⓮ 丙本「曳之」作「曳樹上岸」。
⓯ 丙本「手」作「足」。
⓰ 丙本「已化一石甚堅」作「見以成石塊甚剛」。
⓱ 甲本「休」作「仙」。
⓲ 乙本「法電」下，有「呼蠻娘為佛母，四月初八日自然而死，葬于寺中，人民以為佛生日」。

傘圓山傳

傘圓山在南越國都京城之西❶。其山屹立，圓如傘形，故名焉。

初貉龍君娶甌姬，生一胞百卵，一卵一男。龍君將五十男歸海；五十男同甌母分治天下，號曰雄王。而傘圓大王乃歸海五十男之一焉。王自海國由神符海口而歸，尋高塽清幽之地，民俗淳樸之鄉而居之，遂泝❷大江以至龍編城龍肚之地❸，將欲留居。有不滿處❹，後泝瀘江而上，至福祿江❺畔番津，望見傘圓山❻崇高秀麗，三山❼羅立，儼然如畫，山下之人俗尚樸素，王於是開一條路其直如弦，自番津至，向傘圓山之陽，行至衞峒，又行至岩泉別源之處，又行于❽石畔，上雲夢山頭以居之，或時遊小昔江❾以觀魚，凡經過村路皆作殿宇，以爲憇息之所。後人因其跡，乃立祠以奉祀❿之。旱時禱，潦時祈，禦大災，捍大患，捷於影響極爲⓫靈應。又⓬晴明之日，如有幡幢之狀縹緲山谷間，附近之民咸謂之山神現。

唐高駢在安南，欲壓勝靈脈⓭，剖十七人皆未嫁之女，去腸以惡草充其腹，被以衣裳坐以登椅，祭以牲牢，向能舉動則拔劍斬之。凡愚弄⓮諸神，率用此術。駢嘗以此爲傘圓山王⓯，見王乘白馬於雲端唾之而去。駢嘆曰：「南方靈氣未可量。」旺氣烏可絕也，其威靈顯應如此⓰。

俗⓱傳王與水精同⓲娶雄王之女曰媚娘，王備聘禮先至，雄王嫁之，王迎歸傘圓山。水精後至，乃啣怨，率水族擊王以奪之。王乃以鐵網橫截慈廉縣以遏之⓳。水精別開一小江自莅仁江出喝江入陀江，以擊傘圓⓴之後，又岐開小昔江以向傘圓㉑之前，所至甘蔗、東樓、古鷃、麻舍、浴江之峒，滔改爲灣㉒，以通水族之衆。常起風雨晦冥，引水以攻王。山下人民見之即㉓編竹爲疎籬以遮護之，擊鼓相舂大㉔譟以救之㉕，每見枚蓬㉖流着疎籬之外，輒射之，中死盡成蛟龍魚鱉之屍，流塞江河㉗。水精㉘之衆，屢敗而還，然未嘗息㉙怒，遞年八、九㉚月間常多溢水，禾穀損害㉛，山下之人偏被㉜其害，至今猶有之。世人皆云：「山精、水精，爭娶婦焉㉝。」

【校勘記】

❶丙本「在南越國都京城之西」作「者乃越裳之京都，李朝昇龍城之西門也」。
❷丙本「泝」作「沿」。
❸丙本「地」下，有「次震津」三字。
❹乙本「處」作「意」。
❺丙本「江」作「縣」。
❻乙本「傘圓山」作「傘山」。
❼丙本「山」作「峯」。
❽乙本「于」作「至」。
❾乙本「昔江」作「浙橫江」。
❿乙本「祀」作「事」。
⓫乙本「極為」作「為最」。
⓬甲本「又」作「如」。
⓭乙本「脈」作「跡」。
⓮甲本無「弄」字。
⓯乙本無「王」字。
⓰丙本無此段，自「唐高駢」至「顯應如此」。

⑰ 乙本「俗」作「世」。

⑱ 乙本「同」作「爭」。

⑲ 乙本「縣」作「江」；丙本「縣以過」作「大江西邊」。

⑳ 甲本「傘圓」作「傘圓山」。

㉑ 乙本「傘圓」作「傘圓山」。

㉒ 乙本「滔改為灣」作「破窖為淵」。

㉓ 甲本「見之卽」作「常」。

㉔ 甲本無「大」字。

㉕ 甲本無「之」字。

㉖ 乙本「枚蓬」作「梗梃」。

㉗ 乙本「河」作「渚」。

㉘ 甲本「精」作「族」。

㉙ 甲本「息」作「冷」。

㉚ 乙本「八、九」作「七、八」。

㉛ 乙本「害」作「依」。

㉜ 乙本「被」作「受」。

㉝ 乙本「焉」下，有「重興元年勅封佑聖王；四年加匡國；興隆二十一年加顯應」等字。丙本「焉」下，有一大段，係從魯公交州記摘錄而來，此略。

龍眼如月二神傳

黎朝大行皇帝天福元年辛巳，宋太祖命將軍侯仁寶、孫全興等將兵南侵，至大灘江❶，黎❷大行與將軍范巨倆軍于屠虜江以拒之，對壘相守。大行夜夢見二神人拜於江上曰：「臣兄弟一名張吼，一名張喝，先事趙越王，常從征伐逆賊，以有天下。至後李南帝篡國，聞臣兄弟之名而召之，臣義不可往❸，飲鴆而死。上帝憫其有功，嘉其忠義一節，賜爲神部將官，統領鬼兵。今見❹宋兵入❺境，爲我國生靈之苦，故臣等來見，願與帝❻共擊❼此賊，以救生民。」大行驚悟，謂侍臣曰：「此神助我也！」即御船前，焚香致禱，祝曰：「神人❽能助我成此功業，則褒封血食，萬世無窮。」遂宰牲牢至祭，賜以衣冠、紙錢、象馬等物焚之。是夜❾復夢見二神人共着所賜衣冠，前來拜謝。至後夜夢見一神人領白衣鬼部，自平江南來❿，一神人領赤衣鬼部，由如月江而下⓫，並向賊營以擊之。十月二十三日，夜當三更，天氣昏黑，暴風疾雨大作，宋兵驚潰。神⓬隱然⓭立於空中⓮高聲吟⓯曰：

南國山河南帝居，
截然⓰已定在天書。
如今⓱逆賊⓲來侵犯，
汝等行看取敗虛⓳。

宋兵聞之，蹦藉四散，各自奔逃，生擒不可勝數。宋兵大敗而還。大行旋軍獻捷，褒封二神人，其弟曰「威敵大王」，立祠于龍眼巨岐江，使龍眼、平江之民奉祀；其兄曰「却敵大王」，立祠于如月，使沿江之民奉事之，至今猶存焉。

【校勘記】

❶ 甲本「大灘江」作「灘大江」；丙本作「大灘海門」。
❷ 甲本無「黎」字。
❸ 乙本「不可往」作「不辱」；丙本作「不屬」。
❹ 乙本無「見」字。
❺ 乙本「入」作「犯」。
❻ 乙本「帝」作「皇帝」。
❼ 乙本「擊」作「討」。
❽ 甲本「人」作「功」。
❾ 丙本「是夜」作「是夜三更」。
❿ 乙本「南來」作「而南來」。
⓫ 丙本「而下」作「北下」。
⓬ 乙本無「神」字。
⓭ 乙本「隱然」作「隱然見一人」。
⓮ 丙本「神隱然，立於空中」作「始見其人形容在隱中空上」。
⓯ 乙本「吟」作「吟詩」。
⓰ 丙本「截然」作「皇天」。
⓱ 乙本「今」作「何」。

⑱ 丙本「逆賊」作「北虜」。

⑲ 丙本末句作：「會見海（？）塵盡掃除，如今逆賊來攻擊，汝等行看賊衆虛。」

徐道行阮明空傳

佛跡山天福寺道行❶禪師姓徐名路❷。父榮，李朝爲僧道都察❹，常遊於安朗鄉，娶曾氏❺，因家焉。路，曾氏所生也。少年❻遊俠，倜儻有大志，素與儒者費生，道士黎全義，伶人潘乙相友善。夜則刻苦讀書❼，日則弄笛擊毬，博戲爲樂。父常責其荒怠，一夕潛入臥內竊伺，見燈火爛殘，簡編堆積，路方據案而睡，手未釋卷，由是不復爲慮。後應僧試，中白蓮科。

未幾，其父榮以邪術忤延成侯，侯藉大顚禪師❽，以法毆殺，投屍于蘇瀝江。屍流至決橋❾侯家處忽立而指，竟日不去。侯懼，馳告大顚。顚至，倡云：「僧恨不構宿。」屍應聲倒去。路思復父讐，計無從出。一日，伺顚出，欲邀擊之，俄聞空中唱❿聲云「止！止！」。路懼捨杖而去。欲往功⓫度國來靈術⓬以抗顚，途經金齒蠻，險阻而還。乃隱於佛跡山岩內，日常專持誦大悲心經陀羅尼呪，滿十萬八千遍⓭。一日見神人來謂曰：「弟即四鎭天王也，感師持經功德，故來相候以備指使。」

路知道法已圓，父讐可復，親至決橋步⓮頭試以所持杖投急流水中，其杖逆水如龜行，至西陽橋乃止。路喜曰：「吾法⓯乃勝顚矣。」乃直至顚所，見顚謂曰：「汝不記前日事耶？」路仰視空中寂無所覩，因毆而擊之，顚發病而死。自是宿怨雪盡，俗慮灰寒，徧歷叢林訪求印訣。聞喬智玄於太平寺，躬往參謁。且問眞心，偈云：

久混風塵未識音⓰，
不知何處是眞心。

願乘⑰指引開方便，
萬里如無斷苦尋。

智玄答偈云：

玉瓢⑱秘訣⑲演真⑳音，
個中滿月㉑露禪心。
河沙竟是菩提道，
擬向菩提隔萬尋。

路茫然不契，遂去之法雲崇範會下問曰：「如何是眞心？」範云：「阿誰那個不眞心？」㉒路豁然自方㉓云：「如作成也，是保住㉔。」範云：「饑食，渴飲。」路拜㉕謝而去。自是法力有加，禪緣愈熟㉖，山蛇野獸，群來馴擾㉗。燃指禱霖，呪水治病，無不立驗。有僧問「行住坐臥，盡是佛心？」路示偈云：

作㉘有塵沙有，
為㉙空一相㉚空。
有空如水月，
勿着是空空。

又云：

日月出岩頭，
人人失火珠。
富有乘驢子，

行步不騎狗。

時李朝仁宗皇帝未有皇嗣。會祥符大慶三年三月㉛，清花㉜府人上言：「海濱汝州㉝有靈異小童，三歲解語，自稱皇帝㉞號爲覺皇，陛下所爲，無不知之。」帝使㉟中使往視，果如其言，仍仰歸京師，居于報天寺。蓋覺皇乃大顚之化生也。帝以其聰明英異愛之，欲立爲皇太子。群臣相諫，以爲不可，曰：「彼誠靈異，必宜托生宮禁，然後可也。」帝從之。遂設大會七日夜，行托胎法。路聞之，私謂娣曰：「彼兒怪㊱，惑人甚多。吾苟㊲坐視不救，以異㊳惑群心，蠱㊴亂正法耶？」因使其娣歸觀之，密持所結印數株，揷㊵於簷上。會至三日，覺皇瘰疾語人曰：「徧滿國界，鐵網羅罩，托生無路矣！」帝疑路呪解㊶，杖訊㊷之，果獲，命紊於興聖樓，會臣僚議罪。崇賢侯（帝之弟）適遇，路哀訴，曰：「願垂力救貧僧幸免，異日托胎寓宮㊸，以報其惠。」侯頷之。及會議，僉曰：「陛下以乏㊹嗣故祈彼托生，而路妄自呪解，宜加大戮以謝天下。」侯獨奏曰：「覺皇設有神術，雖有路呪解，夫亦何害。今反如此，則路出覺皇遠矣，臣愚竊謂㊺與其罪路，莫若聽其托生。」帝乃原㊻之。路徑詣侯第告謝。即於夫人杜氏浴處逼㊼視之。夫人大怒以告侯，侯素知其意，竟不之告。路屬侯曰：「他日夫人臨產時必先相告。」後一年夫人果有娠。至期產難，侯追念路前日之言，使人馳報。路見報至，乃澡身易服，謂其徒曰：「吾夙因未了，且復托生世間，暫爲國王，及壽終時，又爲二十三年天子㊽。若見其身殞壞，則我入沱湟，不復㊾生滅矣。」其徒聞之，無不感泣㊿。路說偈云：

契來51不報雁52來歸，
冷笑人間暫告悲53，
為報門人休眷戀54，

古師幾度作今師。

言訖，八岩中屍解而逝。於是侯之夫人遂生子楊煥，年甫三歲[55]，仁宗養之宮中，立爲皇太太子。仁宗崩，太子即位，是爲神宗，乃路之化生也。

鄉中以其靈異，納屍龕中奉事之，其形[56]今在國威府安山縣佛跡山天福寺岩中。

初長安大潢潭舍人阮至誠居國清寺[57]，號明空禪師，少嘗遊學，遇道行，服膺道教，歷四十年。道行壯其有志，爲傳心印，且賜名焉。及道行將[58]謝世，謂明空曰：「昔吾世尊道菓圓成，猶有金鎗之報，況余[59]法玄微，豈[60]能自保？我今托生世間，在人主位，來生病債決定難逃，於汝有緣，但應相救。」及道行已化，明空還故寺居十年[61]，不求聞達。

時李神宗忽瘦奇疾[62]；痛憤之聲[63]，噉唬可畏，天下良醫應詔面至者以千數，皆縮手莫措。時有小童謠曰：「欲蘇天子病，須得阮明空。」乃遣使物色[64]，果得明空焉。既至，諸方領旨[65]，已在殿上行法。見明空樸陋，蔑不加禮。明空親把大釘長五寸許釘于殿柱，撫[66]聲曰：「有能拔此釘者，方得療病。」如是再三，人莫敢應。明空再以左手兩指拈之，釘即隨出，衆皆驚[67]服。及入視帝疾，明空見帝即厲聲曰：「大丈夫貴爲天子，富有四海，胡乃發以猖[68]亂爲哉！」[69]帝大驚慄。明空令取巨鑊貯水養之，既百沸，以手攪之數遍，洒帝身上，其疾即瘉。乃拜明空爲國師，蠲戶數百以褒賞之。太平[70]辛丑，明空去世[71]壽七十六。

又明空別傳云：膠水鄉有空路寺，有僧名明空，治平間出家住持此寺，以德行知名。

一日明空從外來，其同房僧戲隱門內，躍出作虎聲以怖明空。明空笑曰：「汝修行，欲作虎耶！吾當救汝。」後數年，僧尋沒，化爲國王李氏生世子[72]，年幾冠，忽徧體生毛，踴躍咆哮，亞如[73]虎形。王廣求醫巫僧道，皆莫能措手。聞明空有法術，遣人乘船來請。明空以堝炮炊飯，欲食水手。使者笑曰：「水手人多，恐難徧及。」明空曰：「不然。與衆少喫，見我厚意(74)。」由是棹卒四、五十人食之，終不能盡。人皆奇之。臨晚乘船，又戒：「使者與水手皆熟睡一覺(75)，待日出(76)，貧僧呼起，方可開船。不然，我且不去。」使者懇請不得，偃臥假寐，但覺船下風聲冷然，移時日出，呼起，其船已在都灣下泊矣。明空乃騰空入宮中，煮水油以洗國王，應手毛落，體遂平復。王問其故，對曰：「修行人一念迷者，懺洗而已，無難也。」又問曰：「師何得神通而能空行？」曰：「非也(77)。臣宿有風疾發行不見果跡，不知何者爲空，乃信步耳，非神通也！」乃復空行回去，賜賚不受。王乃賜號神僧褒之(78)因空路寺名。世子後爲王，謚神宗。時童謠曰：「異哉李神宗，朝庭事莫通。欲蘇天子病，須得阮明空。」

【校勘記】

❶ 乙本無「道行」二字。
❷ 乙本「路」下，有「字道行」三字。丙本「徐，名路」作「徐氏，諱名路，字道行」。
❸ 乙本「李朝」作「仕李朝」。
❹ 甲本「察」作「案」；丙本「僧道」作「僧官」；「為」作「至」。
❺ 乙本「曾氏」下，有「女」字。
❻ 乙本「年」作「事」。
❼ 乙本「刻苦讀書」作「刻喜詩書」。
❽ 丙本「禪師」作「法僧」。
❾ 丙本，「决橋」作「决州橋」。

❿甲、乙二本無「喝」字。
⓫乙本「功」作「公」。
⓬丙本「靈術」作「靈異法術」。
⓭丙本「十萬八千遍」作「八千遍」。
⓮甲本「步」作「齒」。
⓯丙本「法」作「神通」。
⓰乙本「識音」作「幾金」。
⓱甲本「乘」作「求」；丙本「願」作「欲」。
⓲丙本「玉瓢」作「玉相」。
⓳丙本「秘決」作「妙訣」。
⓴乙本「眞」作「沙」。
㉑乙本「月」作「目」。
㉒乙本「阿誰」作「阿維」；丙本「阿誰那個不眞心」作「何耶不個是眞心」。
㉓乙本「自方」作「自得」。
㉔乙本「保住」作「偶住」。
㉕甲本「拜」作「往」。
㉖乙本「熟」作「篤」。
㉗丙本「馴擾」作「巡遶」。
㉘丙本「作」作「陀」。
㉙丙本「為」作「福」。
㉚丙本「相」作「切」。

㉛ 乙本無「三月」二字。
㉜ 甲本「清花」作「清化」。
㉝ 乙本「汝州」作「沙州」。
㉞ 乙本「皇帝」作「皇子」，丙本「皇帝」作「皇帝子」。
㉟ 乙本「使」作「遣」。
㊱ 乙本「怪」作「妖怪」。
㊲ 乙本「苟」作「豈可」。
㊳ 乙本「異」作「蟲」。
㊴ 乙本「蟲」作「荒」。
㊵ 甲本「推」作「拂」。
㊶ 甲本「呪解」作「解呪」。
㊷ 乙本「杖訊」作「收譯」。
㊸ 乙本「托胎寓宮」作「寓托胎中」。
㊹ 乙本「乏」作「無」。
㊺ 乙本無「臣愚竊謂」四字。
㊻ 乙本「原」作「恕」。
㊼ 乙本「逼」作「過」。
㊽ 丙本「二十三年天子」作「三十三歲為太子」。
㊾ 甲本「復」作「住」。
㊿ 乙本「泣」作「嘆」。
51 乙本「契來」作「我來」；丙本作「秋來」。

52 乙本「雁」作「鴻」。

53 丙本「冷笑人間暫告悲」作「冷寂人間慟發悲」。

54 丙本「休眷戀」作「來戀者」。

55 丙本「三歲」作「二歲」。

56 乙本「形」作「形像」。

57 乙本「國清寺」作「玉清寺」。

58 甲本無「服膺道教，歷四十年，道行壯其有志，為傳心印，且賜名焉。及道行將」。

59 乙本「余」作「於」。

60 乙本「豈」作「無」。

61 乙本「十年」作「二十年」。

62 乙本「忽癭奇疾」作「忽得癭疾」；丙本作「有奇癭疾」。

63 丙本「痛憤之聲」作「恍亂心神」。

64 乙本「物色」作「物色訪之」。

65 乙本「領旨」作「碩望」。

66 乙本「撫」作「揚」。

67 乙本「驚」作「駭」。

68 乙本「猖」作「狂」。

69 乙本「為哉」作「耶」。

70 乙本「太平」作「太平二年」。

71 丙本「明空去世」作「國師升天」。

72 乙本無「李氏生世子」等字。

73 甲本「亞如」下，有小注「一本：而變形」。

74 乙本「意」作「給」。

75 乙本「一覺」作「一宿」；丙本「一覺」作「少頃」。

76 丙本「日出」作「潮漲水溢」。

77 乙本「非也」作「非術也」。

78 乙本「褒之」下，有「李仁宗丙申七年夏六月，僧徐道行尸解於石寶山寺。鄉人以其靈異納尸龕中奉祀之。今佛跡山是其處也。每春三月七日士女會于寺為，一方勝遊。後人以為僧忌日。道行尸至永樂年間為明人所焚。鄉人再塑像事之如初，今存焉。」一段文字。

南詔傳

南詔者，趙武帝陀之後也。

昔漢武帝時，趙丞相呂嘉不服漢庭❶，而殺漢使安國、少季等。漢武帝命❷路博德、楊樸等將兵❸伐之，擒衞陽王建德及呂嘉等而併其國❹，分置守令。

趙氏既亡，其子孫各散之四方，復會于神符❺橫山空閑❻無人處❼，造船駕海❽，突入境內刼掠❾海濱，殺漢守令❿，稱爲南趙，因訛爲南詔⓫。

迨三國時，吳王孫權命戴良、呂岱等爲牧守以治之，南自天擒山、河華、高湟、橫山、烏特⓬海岸、史部、長沙、桂堵⓭、望盎⓮、磊雷⓯等處，山高海深⓰，波濤險阻，寥無人跡，南詔之衆據而居焉。其衆稍盛，乃以財貨珠玉通于西婆夜國，求爲親屬以相救助。

晉末，天下大亂，有土酋趙翁李亦趙武帝之後⓱，兄弟衆多，勇力過人，爲衆所服，亦與南詔會衆⓲，合二萬餘人，復以寶玉求通於婆夜國，乞海邊隙地以居之。時婆夜國命取海濱源頭相雜各半分爲二路，上自夔州⓳下至演州爲茹還⓴路；上自琴州下至驩州㉑爲臨安路，分與南詔、翁李統治焉。於是始築城於演州高舍鄉㉒，東夾海，西至婆夜國，南至橫山，自立爲王。

東晉時㉓命將軍曹可將兵來攻。翁李於源頭險阻伏兵衆擊之，又出連未山㉔以避之，彼聚則我散，彼散則我聚，朝出莫入，往來四、五年間，未嘗交戟。晉軍不耐嵐障，死亡過半，乃退還。

南詔侵略長安都城各處，守令不能制，至唐愈盛。懿宗命高駢征之，亦不克而還。

五代後㉕，石敬唐命司馬李進將兵三十萬㉖餘攻于塗山，南詔稍退，遂附于哀牢邊地，號頭模國，今爲貧恾云㉗。

【校勘記】

❶ 乙本「庭」作「命」。
❷ 丙本「命」作「將」。
❸ 丙本「將兵」作「將兵十萬餘，馬十萬」。
❹ 丙本「而併其國」作「而南越氏遂亡。漢」。
❺ 丙本「神符」下，有「海門」二字。
❻ 乙本「閑」作「寂」。
❼ 丙本「處」下，有「兄弟實繁有後」等字。
❽ 丙本「造船駕海」作「作船艘駕海，時或」。
❾ 乙本「掠」作「奪」。
❿ 丙本「守令」下，有「其民四方每樂畏服」等字。
⓫ 乙本「南詔」下，有「襲號」二字。
⓬ 乙本「特」作「蹲」。
⓭ 甲、乙二本「桂堵」作「注堵」。
⓮ 甲本無「望」字。
⓯ 乙本「磊雷」作「覆雷」。
⓰ 乙本「深」作「潤」。
⓱ 乙本「後」作「裔」。

⑱乙本「會衆」作「合縱」。

⑲乙本「夔州」作「葵州」。

⑳乙本「茹還」作「茹羅」。

㉑丙本「驩州」作「離州」。

㉒甲本「鄉」作「社鄉」。

㉓丙本「時」作「末」。

㉔乙本「未山」作「本山」。

㉕乙本「後」作「中」。

㉖乙本「三十萬」作「二十萬」。

㉗乙、丙二本「今為貧忙」作「常以刼奪為業，時發時止，未常弭息，今猶有之」。

蘇瀝江傳

唐懿宗咸通六年，命高駢爲都護，將兵討❶南詔❷。遂置靜海軍於安南城，以駢爲節度使❸。駢通天文地理，乃相地形❹，築羅城於瀘江之西，周三千步以居❺駐焉。有小江從瀘江流入西北，經過其南，回抱羅城，末流復入大江。六月雨水漲溢，駢乘輕舟順流入小江，方里許，忽見一老人❻鬚髮❼盡白❽，容貌奇異，游浴於江中，笑語怡❾然。駢問：「叟姓名爲誰？」老人對曰：「我姓蘇名瀝。」駢復問：「叟家何在？」老人對曰：「在此江中。」言訖，拍手❿晦冥，忽然不見。駢知是神人⓫，乃名其江爲蘇瀝江。一日方早，高駢出立于羅城之東南，瀘江之畔望焉。江中大風忽起，波濤洶湧，雲霧昏曀⓬，有異人立於水上高二丈餘，身着黃衣，頭戴紫冠，手持金簡⓭，空中光彩升降飛揚⓮。日上三竿，雲氣未散，其形尚在。駢甚驚異，尤欲壓⓯之而未果。夜夢見神人告曰：「勿壓我。我是龍肚之精⓰，地靈之長。君來築城于茲，未得相遇，故來見耳，雖壓何憂！」。駢驚覺⓱。明日設壇行醮⓲，以金銀銅鐵爲符，誦呪三晝夜，坑⓳符壓之。是夜，電雷轟會⓴，風雨大作㉑，頃刻之間，復見金銀銅鐵之符盡出地上，化成灰燼，飛去散盡。駢嘆曰㉒：「此處旣㉓有靈異之神，不可久留，以取凶禍。我當急歸北矣！」

後懿宗召駢還，果被戮，乃以高鄩代治之。

【校勘記】

❶ 乙本「討」作「擊」。
❷ 丙本「南詔」下，有「而往」二字。
❸ 甲本無「使」字。丙本「使」下，有「統領諸營」諸字。
❹ 乙本無「乃相地形」四字。
❺ 乙本「居」作「屬」。
❻ 丙本「人」作「翁」。
❼ 乙、丙二本「髮」皆作「眉」。
❽ 丙本「晝白」作「皓白」。
❾ 丙本「怡」作「欣」。
❿ 丙本「拍手」作「江水」。
⓫ 丙本「人」下，有「令置江名」等字。
⓬ 乙、丙二本「曀」皆作「暗」。
⓭ 丙本於「金簡」後，尚有「腹帶紫綾，足着鞋韈」等字。
⓮ 丙本「升降飛揚」作「忒升忒降，乍有乍無」。
⓯ 乙本「壓」作「禱壓」。
⓰ 乙本「精」作「神」。
⓱ 丙本「驚覺」作「乃大驚，明日言於侍臣曰：此臣人之助我也」。
⓲ 乙本「行醮」作「行法」。

⑲ 乙本「坑」作「埋」。
⑳ 乙、丙二本「會」作「奮」。
㉑ 丙本「大作」下，有「暴震，天地昏暗，神將咆哮，驚天動地」等字。
㉒ 丙本「駢嘆曰」作「駢見在此尤驚懼」。
㉓ 甲本無「旣」字。

楊空路阮覺海傳

海清❶嚴光寺空路禪師姓楊氏，乃海清人也，世業于漁釣❷，師❸捨其業而僧焉❹，常居伽持陀羅尼門經。彰聖嘉慶中，與覺海爲道友，潛至荐澤寺棲踪焉。草❺衣木❻食殆❼忘其身；外絕池求，內修禪定❽；心神耳目，日覺爽❾然，便能飛空履水，伏虎降龍，萬怪千奇，人莫之測。後尋歸故鄉創寺居之。一日有侍者啓云：「某自到來，未蒙指示，心要敢呈倡云❿：

鍛練心身始得清，
森森直幹對虛靈。
有人來問空空法，
身在⓫屏邊影集形⓬。

師覺之曰：「汝將由來，汝將經來。吾爲汝授⓭，吾爲汝愛，何處不與汝心願？」乃呵呵大笑。

師嘗說偈云：

選得龍⓮蛇地可居，
野修⓯終日樂無餘。
有時宜上孤峯嶺，
長嘯三⓰聲寒太虛。

會祥符大慶（李仁宗年號）十年，己亥六月初三日示⓱寂，門人收舍利函，葬于寺門⓲。有詔廣修其寺，錮戶二千⑲以奉香火。

覺海禪師亦海清人也，居本⑳郡延福寺，姓阮氏。初慕釣魚㉑，常以魚㉒艇爲家，浮游江海。年二十五始捨漁業，落髮爲僧。初與空路俱居荐澤，後尋歸海清。李仁宗時，常與通玄眞人召㉓入蓮甍㉔宮涼石侍坐。忽有蛤蚧對鳴，聒耳可惡。帝命玄以法止之。玄默呪，先墜其一。帝笑謂覺海曰：「尚留一個與沙門。」師即呪。少頃，其一亦墜。帝異之，作讚曰：

覺海心如海，
通玄道亦㉕玄。
神通能變化，
一佛一神仙。

師由是馳名天下。僧徒傾問。帝以師㉖禮待之。每駕幸㉗海清行宮，必先詣其寺。一日帝謂師曰：「應眞定神可得聞乎？」師乃作八變通，其身凌㉘空，去地數丈，俄而復舊㉙。帝與群臣皆合手稱嘆。於是賜肩㉚輿，舁出㉛闕庭。迨神宗朝㉜，累召赴京，辭以老病，不就。

或問佛與衆生誰賓誰主，師示以偈云：

個角㉝你頭白，
報你作老㉞客。
若問佛㉟境界，
龍門遭點額。

及將告寂，復示偈云：

春來花蝶喜知時㊱，

花蝶應須便應期。
花蝶本來留是約㊲，
莫言花蝶向㊳心持。

是夜有大星墜方太空㊴東南隅，詣旦師端坐而逝。詔蠲戸三千㊵以奉香火，官其子二人以褒賞。

【校勘記】

❶甲本「海清」下，有小註作「海清，陳太宗為決清郡，今天長府」。
❷丙本「世業于漁釣」作「以漁釣為業」。
❸乙、丙二本「師」作「乃」。
❹丙本「捨其業而僧焉」作「捨其漁業而居佛伽」。
❺乙本「草」作「荷」。
❻乙本「本」作「菜」。
❼丙本「殆」作「恐」。
❽乙本「禪定」作「科敎」。
❾甲本「爽」作「異」。
❿乙本「心要敢呈偈云」作「願陳一偈云」。
⓫甲本「在」作「坐」。
⓬甲本「形」作「生」。

⑬ 乙本「授」作「接」。

⑭ 丙本「龍」作「蛟」。

⑮ 乙本「修」作「清」。

⑯ 丙本「三」作「一」。

⑰ 乙本「示」作「圓」。

⑱ 丙本「門」作「前」。

⑲ 乙本「二千」作「二十」；丙本作「二十八人」。

⑳ 丙本「本」作「于外」。

㉑ 丙本「初慕釣魚」作「初學漁翁為業」。

㉒ 甲本無「魚」字。

㉓ 乙本「召」作「同召」。

㉔ 丙本「蓮蔓」作「蓮蓬蔓」。

㉕ 丙本「亦」作「又」。

㉖ 甲本無「師」字。

㉗ 甲本「幸」作「行」。

㉘ 甲本「淩」作「虛」。

㉙ 甲本無「俄而復舊」等字。丙本「舊」作「下」。

㉚ 丙本「肩」作「鑾」。

㉛ 丙本「弁出」作「仰入」。

㉜ 甲本「朝」作「崩」；丙本「神宗」作「仁宗」。

㉝ 丙本「角」作「覺」。

㉞丙本「老」作「耆」。
㉟丙本「佛」作「仙」。
㊱乙本「喜知時」作「便應期」。
㊲丙本「留是約」作「須應約」。
㊳乙本「向」作「忽」；丙本作「應」。
㊴甲本「空」作「室」。
㊵丙本「三千」作「三十人」。

何烏雷傳

陳裕宗紹豐年間[1]，麻羅鄉人鄧士瀛爲安撫使，奉命往使北國[2]。其妻[3]武氏在家[4]。本鄉有神祠名麻羅神[5]，夜夜化作士瀛，其[6]容貌行止類若士瀛，入武氏房中與之通淫，黎明即去[7]，不知何之[8]。後夜武氏問曰：「府君已逢命北使[9]，如何夜夜得還，而晝則不見？」神詐曰：「帝已差他官[10]北使[11]，而使吾侍左右與帝圍碁，不許出外[12]。我念夫婦之情，故暗夜[13]偷還與汝以瀉恩愛，明旦急趨入朝[14]，不敢久居[15]。」鷄鳴復出，武氏情猶疑之。

期年，士瀛使回，武氏胎已滿月。士瀛具本奏聞[16]，下武氏獄。帝夜夢一神人來奏曰：「臣麻羅神，其妻武氏已有孕，被士瀛爭[17]之。」帝驚覺，明日命獄官將[18]武氏就御前，釋[19]其事由。帝即判曰：「妻還士瀛，子還麻羅神[20]！」

越三日，武氏生一[21]黑胞，破[22]得一男一子，皮膚如墨。至十三歲，名曰烏雷，色雖黑如漆[23]而肌潤如膏。十五歲帝召入侍，甚寵愛之，賜爲賓客[24]。一日烏雷出遊，遇呂洞賓。洞賓問曰：「好兒郎意欲何求？」烏雷曰[25]：「當今[26]天下太平，國家無事，視富貴如浮雲耳，止欲聲色以娛耳目而已。」洞賓笑曰：「爾之聲色得失相當，名留于世。」因使烏雷開口試觀[27]。烏雷張口以示之[28]，洞賓唾入使吞之，乃騰空而去。自是烏雷雖不識字，而敏捷便佞[29]，多有過人，詞章詩賦，歌謠吟唱，諷詠之聲[30]，嘲風弄月[31]，遶梁遏雲，人人自樂聞之。至於婦人女子，尤加悅焉，咸欲覩其面。帝嘗命于朝曰：「如見烏雷奸犯[32]誰家婦女，應將來帝前，謝錢一千貫。若私殺者，倍償一萬。」

帝屢與之從遊。時有仁睦鄉宗室貴郡主名婀金[33]，年二十三[34]歲，其夫早亡，孀居，顏色艷麗，絕美無雙，帝悅之。求幸不得，帝常恨之。謂烏雷曰：「爾行何計得之[35]。」對曰：「臣願用力一年爲期。如不見面，是謀不成，則臣[36]已死矣。」拜辭[37]而去。

歸家，放卻衣裳，浸[38]于泥滓[39]，暴於暑雨以致醜陋。因着布袴託爲牧馬奴，取一鎌件，竹籠一雙，檳榔一封，擔就郡主門外，賂[40]閽童乞入主園刈草。閽童與之入。時五、六月間，茱藜花園方盛，烏雷一切刈盡，納諸擔中。侍婢見花園已盡，呼令縛之。執得三日無人承認，因問之曰：「汝何家奴，胡不見主人來贖？」烏雷曰[41]：「僕是漂泊人，無父母家主，常從倡兒傭擔求食。昨見一[42]官人繫馬于城南[43]門外，馬飢無草，家童雇錢五文[44]，使刈草一擔。僕喜得錢而爲刈草，不識茱藜花爲何等物，疑是草也。今無以償之，願入爲奴，以償此[45]債。」留之月餘[46]，主家[47]奴婢見飢渴，與之飲食。夜間常歌唱，與閽童遊[48]，主家奴婢以至內侍姬媵，聞其歌聲，咸樂聽之。

一夜，遇黃昏時，不見點燈，郡主暗坐[49]，左右無人。主大怒，呼侍婢來前，責以廢役不恭之罪，欲箠楚降黜之。侍婢皆頓首謝曰：「臣等聞刈草奴歌唱之聲，樂而忘返[50]，不意廢役至此，箠楚降黜之罪是甘！」郡主置之不問。

時夏熱[51]。夜間初更，郡主與衆侍[52]婢閒坐庭中，迎風玩月，以爲勝賞。俄聞烏雷歌聲，隔壁靜聽，恍若鈞之節調[53]，殊非世上之聲音，精神融會，情思悽愴[54]，尤愛悅焉，遂遣侍婢將烏雷入爲家童，備在[55]左右差使，漸爲密近之奴，常令吟詠以舒鬱結之情[56]。烏雷乘此益勤奔走服勞於役，郡主愈加[52]信寵以爲客兒，晝則侍從左右，夜則執燈以侍立，時使歌唱，聲音徹于內外。郡主爲之感動，遂成幽抑之疾。

累至三、四月，其疾轉加，婢媵服事久而疲勞，夜深熟睡[58]，郡主呼之，無人覺起，惟[59]一烏雷夜入侍疾逼近。郡主眞情難禁，謂烏雷曰：「自爾來茲[60]，爲爾聲音使我成疾。」遂與[61]烏雷交通，其疾稍愈。是後，情愛日密[62]，至忘姸醜之態，無復顧吝[63]，欲以田地與烏雷爲莊宅。烏雷曰：「臣本無家住，今遇郎主眞是天仙，臣之福也[64]。臣不願田地及金銀珠寶[65]，願得郡主進朝積金粧玉之冠，試之一戴，死瞑目矣。」郡主[66]積金粧玉冠乃先帝所賜，使之進朝賀之禮，至是，亦與之不惜也。

烏雷得冠，乃暗行亟歸，戴而見帝。帝見之甚喜，即命召郡主進朝[67]。烏雷戴粧玉冠侍立。帝問曰：「曾識烏雷否？」郡主顧之慚[68]。

時烏雷有國語詩云：

我今委身充奴僕，
惟願天緣屬雷福[69]。

自此名聞天下。王侯家女[70]，常譏笑之。有國語詩云：

霜雪雖未能全保，
高潔純真不讓仁；
沈湎只因聲色好，
實乃堪笑復堪悲[71]。

雖有詩鄙之，然常爲聲色所牽，避不能得，更與之私通。人人不敢搏筆，蓋懼前詔旨追償錢故也[72]，後乃私通明威王家嫡女，拘獲未殺。翌日，明威王進奏：「烏雷夜入臣家[73]，黑白難辨，業已格殺，請命謝錢若干進納。」帝不知其未殺，即判云：「登時格殺，勿論。」時徽慈皇后乃明威王之親，故帝亦不着意。明威王歸而杖⑭之，不死，即以杆搗殺⑮。烏雷將死，有國語詩云：

男兒但求英名在，
生死由天無須悲。
寧為聲色輕生死，
為黨捐軀太不值⑯。

又曰：「昔呂洞賓告我曰爾之聲色得失相當，其言驗矣！」。

【校勘記】

❶ 甲、丙二本「紹興年間」作「紹興六年」。
❷ 丙本「北國」作「北京」。
❸ 甲本無「妻」字。
❹ 丙本「其妻武氏在家」作「娶妻本鄉武氏家」。
❺ 甲本「名麻羅神」作「號羅神，神精」。
❻ 甲本「其」作「身」；丙本「其」作「身體」。
❼ 丙本「黎明即去」作「雞鳴時神人遂去」。
❽ 乙本「何之」作「所之」。
❾ 丙本「奉命北使」作「奉使北國」。
❿ 乙本「他官」作「別人」。

⑪ 丙本「北使」作「代使」。

⑫ 乙本「出外」作「我出」。

⑬ 甲本無「夜」字。丙本「暗夜」作「到夜」。

⑭ 甲本無「入朝」二字。

⑮ 丙本「不敢久居」作「不可遲緩」。

⑯ 丙本「具本奏聞」作「見事非理，具本奏聞，謂武氏失節於夫婦之義，陰有外情，已有胎孕」。

⑰ 丙本「爭」作「奪」。

⑱ 乙本「將」作「押」。

⑲ 甲本「釋」作「評」。

⑳ 甲本無「神」字。

㉑ 甲本無「一」字。

㉒ 乙本無「破」字。

㉓ 乙本無「如漆」二字。

㉔ 丙本「賓客」作「親臣賓客」。

㉕ 乙本「曰」作「對曰」。

㉖ 丙本「當今」作「當今聖帝」。

㉗ 乙本「試觀」作「視之」。

㉘ 乙本無「張口以視之」諸字。

㉙ 丙本「敏捷便佞」作「聰明才智」。

㉚ 乙本無「調詠之聲」諸字。丙本「歌謠吟唱，諷詠之聲」作「歌吟曲調，琴瑟笙笛，唱詠和樂之聲」。

㉛ 乙本「月」下，有「之聲」二字。

㉜ 甲本「犯」作「妃」。
㉝ 乙本「貴郡主名媺金」作「貴人郡公主媺金」。
㉞ 丙本「二十三」作「二十」。
㉟ 丙本「得之」作「得公主歸與我為妃」。
㊱ 甲本無「臣」字。
㊲ 乙本「辭」作「謝」。
㊳ 乙本「浸」作「漫」；丙本作「履」。
㊴ 乙本「滓」作「濘」。
㊵ 乙本「賂」作「以檳榔賂」。
㊶ 乙本「曰」作「對曰」。
㊷ 甲本無「一」字。
㊸ 甲本無「于城南」三字。
㊹ 丙本「五文」作「十五文」。
㊺ 乙本「此」作「花」。
㊻ 乙本「留之月餘」作「於是留下門外月餘」。
㊼ 乙本「主家見」作「公主」。
㊽ 乙本「遊」作「聽之」。
㊾ 丙本「不見點燈，郡主暗坐」作「公主恬然不點燈而暗坐」。
㊿ 乙本「樂而忘返」作「心甚愛悅」；丙本作「心悅慕之」。
(51) 乙本「熱」作「月」。
(52) 甲本無「侍」字。

53 乙本「調」作「奏」。

54 丙本「悽愴」作「感動」。

55 甲本「備在」作「獨」。

56 丙本「令吟詠以舒郁結之情」作「使烏雷歌詠笙笛琴瑟以瀉舒郁幽閑之情」。

57 甲本「加」作「益」。

58 丙本自「婢媵」至「熟睡」作「侍妾奴婢求藥與公主服之不愈，疾愈加，侍妾疲勞，夜瀾悶欲睡臥」。

59 甲本「惟」作「有」。

60 乙本無「自爾來玆」四字。

61 丙本自「自爾來玆」至「遂與」作「後來在近，聞汝聲音歌唱，我成幽抑之疾。公主遂與何」。

62 乙本「日密」作「尤加」。

63 乙本「吝」作「憚」。

64 丙本自「壓宅」至「福也」作「何烏雷為大家奴，會遇公主乃是神仙之遺福也」。

65 甲本「金銀珠寶」作「金玉寶珠」。

66 甲本無「郡主」二字。

67 丙本「命召郡主進朝」作「烏雷進公主于王朝，帝悅之，使公主入于內殿仙宮帷幄之所，帝與公主相通交結。後日，帝出侍朝」。

68 丙本「郡主顧之慚」作「公主大慚曰：妾乃室（？）內之處，何曾出見烏雷等耳。烏雷刈草，誤中花園畫絕，妾乃遣衆婢拘執（一作媒拘執）。得三月餘，不見家主來償其花園還妾。不意烏雷無家主，無父母，乞為妾奴，陰有情誘，委進于王庭。帝知烏雷之情歸帝矣」。

69 此二甲本原作字喃：㐱它耨亘嗔爪碎，[illegible]𡨸天緣底把燸。
乙本作：

　　㐱尼耨旦於爪碎，
　　莊咍天福底朱雷。
丙本作：
　　掇它耨細嗔爪碎，
　　堆字天福底烏雷。

⑩ 乙本「家女」作「美女」。

⑪ 此詩甲本原作字喃：
　　霜雪油莊院特近，
　　度鼬清貴儉之㪳。
　　於為聲色𩟡醝酖，
　　可惜朱麻吏可哄。
乙本首二句作：
　　婘節油莊院特近，
　　夜中清貴儉之㪳。
丙本作：
　　用之密每烓它帖，
　　几助欣㪳戈買讒。
　　忍固黄金聲色爪，
　　等些約皿此艷（？）帖。

⑫ 丙本自「人人」至「故也」作「人入帝前，其事具奏，欲其迎（？）烏雷問倍償錢于帝，帝怒曰：烏雷為朕親臣，諸侯為鞭笞耶」。

73 丙本「夜入臣家」作「夜時黃昏，烏雷入臣家，黑白未分，臣欲鞭殺之。勿論。時徽慈皇后請命謝一萬貫與烏雷進于帝前以免烏雷之罪」。

74 甲本「杖」作「殺」。

75 丙本自「帝不知其未殺」至「卽以杵搗殺」作「帝不及着衣，乃乘鑾輿到明威王之家。未到而明威王知帝到家，解取烏雷以杖槌舉之，烏雷不死，再杵搗殺之。今後人聞此杵聲頂來心欲月花之事」。

76 甲、乙二本作字喃：

生死畀丕管包，
男兒免特啃英豪。
托皮聲色甘畀托，
托黨市觨紺浩节。

丙本作：

生死默命管之包，
男兒免特志英豪。
折皮聲色它年折，
折瘖折疠甘划（？）节。

夜叉王傳

昔在上古時，南越甌貉國之外❶有妙嚴國，國王號夜叉王（一曰長明王；一曰十頭王）❷。其國北接狐孫精國。狐孫精國王曰十車王，太子❸曰微姿❹，微姿之妻曰白淨❺后娘，容貌美麗，世所罕有，夜叉聞而悅之❻，乃率衆攻圍狐孫精國，接得白淨后以歸。微姿怒，遂領❼獼猴之衆移山塞海，盡爲平路，攻破妙嚴國，殺叉王❽，復取淨后娘而還（蓋狐孫❾屬類，乃獼猴之精，今占城國是也）。

【校勘記】

❶ 丙本「外」作「外境」。
❷ 甲本自「國王號」至「十頭王」寫為「國王號叉王，一曰長明王，二曰十頭王」。
❸ 甲本無「太」字。
❹ 丙本「徵姿」作「徽姿」。
❺ 丙本「淨」作「靜」。
❻ 乙本「夜叉聞而悅之」作「夜叉聞之而悅」；丙本作「夜叉王見而悅之」。
❼ 丙本「領」作「統領」。
❽ 丙本「殺叉王」作「殺得夜叉王」。
❾ 乙本「狐孫」作「狐孫精」。

蔡忠霖 校點

嶺南摭怪列傳 卷三．續類

嶺南摭怪列傳卷之二

士王仙傳

按三國志王姓士諱燮蒼梧廣信人其先魯國汶陽人也遭王莽亂避居于此至漢桓帝以為日南太守王少時遊學京師治左氏春秋舉孝廉補尚書郎以公事免後舉茂材賢良射策除為巫縣令獻帝任為交州太守值漢末三國亂立士王蒞清城令今為綿城獻帝聞之賜王璽書俾轄七郡統領交州太守如故王乃遣史值張旻奉使往詣漢京從戎貢漢帝復下詔拜為安遠將軍封龍度亭侯至吳王孫權加封為左將軍并子三人皆拜為郎中及貢方物吳王輒加賞賜以答慰之又拜王弟一領合浦太守今廉州是也壹領九真太守今奇峯縣是也武領南海太守今廣州是

書影

題破塚誌

古之所傳記世說野錄志異雜編頗以慕時世之顏率述之過之迷風以為笑談

於後亦亡於是

儻失籍於巖松文獻尚世人之迷惑李之神異以記載之考焉今竟嶺南列傳本

難不知何代偉生之筆劍火內消分士李蕩則瑪瓦先生顯揚光輝博學何

士雜為二卷始於晚死醉於夜又凡二十二條記之為亦年列傳卷端可謂奇

但之云云吳同有必仙望美等偉名素白鶴謂神殊朱續論亦巳無遺理之慨

二非以德備本抄誦其於歷賞之民岳價之株繼負女人矣

慶眾本之國世教者亦替以題以文記摹以越何賞

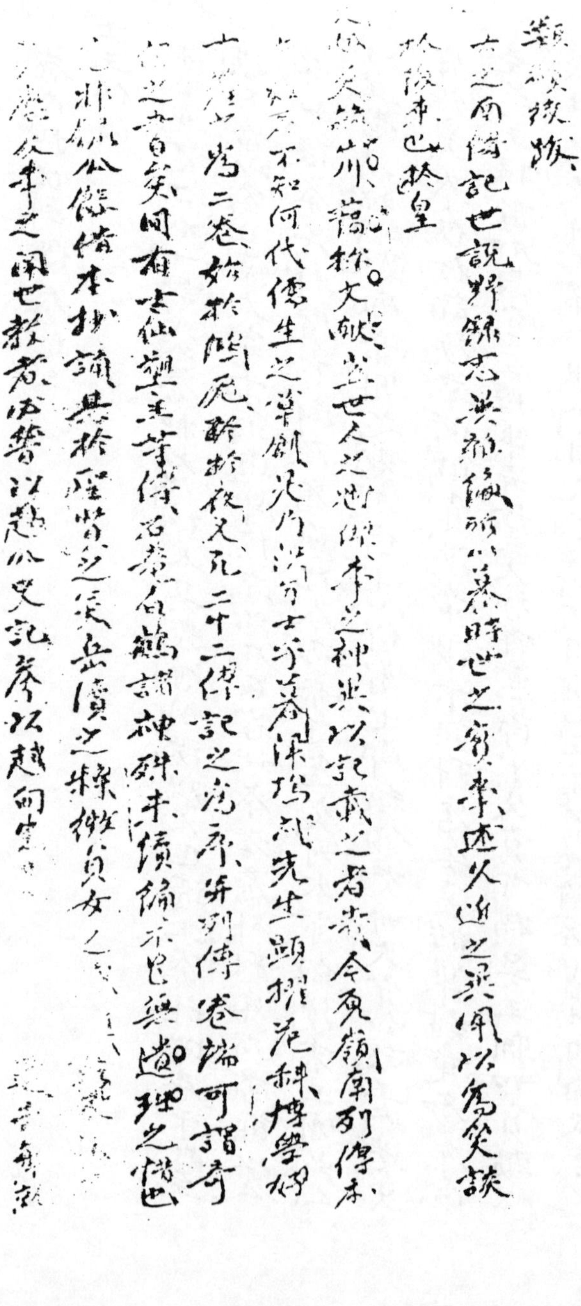

乃猴猻之精今占城是也

士王傳

按三國志王姓士名燮蒼梧廣信人其先魯國汶陽人也遭王莽亂避居于此六世至王父名賜漢桓帝時為日南太守王少時遊學漢京治左氏春秋舉孝廉拜為尚書郎以公事免後舉茂材覓良科除為巫陽令獻帝時遷為交州太守值漢末三國鼎立士王營清城（今黃綿城是）獻帝聞之賜王璽書俾督七郡領交州太守以故王乃遣吏張旻奉使詣漢京修職貢漢帝復下詔拜為安遠將軍封龍度亭侯至吳王孫權加封為左將軍并子三人皆拜為郎中將及貢方物吳王輒加賞賜以答慰之

書影

必能福汝、無他為患也。二人驚覓、以語相告。忽然見異沐物之木、復已附近船邊、二人異之、載歸。至布拜鄉、木從船中忽躍出地、岸上二人知意欲居之、乃立祠、命工刻木為像、奉事感應、時號龍君。先朝遣侍臣入海求珠、備祈海口、所獲無少、鄧氏子孫所得甚多。差官詢其故、鄧氏具以實事告、乃差官備禮以祭之、由是大獲珠玉、勅封賜號神珠龍王。歷代加封美字、至今大有靈應。或有忤人懷怨呪咀、你害及良民之名可驗云。

嶺南摭怪列傳　卷三續類

士王仙傳

按三國志：王姓士，諱燮，蒼梧廣德❶人。其先魯國汶陽人也。遭王莽亂，避居于此，至❷漢桓帝，以爲日南太守。王少時遊學漢京，治左氏春秋。舉孝廉科，拜爲尚書郎，以公事免。後舉茂材賢良科，除爲巫陽令。獻帝遷爲交州太守，值漢末三國鼎立。士王營清城，（今龍編城）獻帝聞之，賜王璽書，俾督七郡，統領交州太守如故。王乃遣史官張旻奉使往諸漢京，修職貢。漢帝復下詔拜爲安遠將軍，封龍度亭侯。至吳王孫權，加封爲左將軍，幷子三人，皆拜爲郎中。及貢方物，吳王輒加賞賜，以答慰之。久拜王弟一領合浦太守（今驩州是也），鮪領九眞太守（今奇峯縣是也。）武領南海太守（今廉州是也）。

王體貌寬厚，虛謙待人，漢之名士避亂者多往依焉。我民皆呼爲王。漢之袁徽與尚書官荀彧致書，略云：交州士府君學問優博❸，又達於仁政，處於大亂之中，保全一方；三十餘年，邊疆無事，民不央時。雖竇融之守河西，何以加之？況士之弟並已列侯分守，雄長一方。出則車騎清❹路，當時貴重，威振百蠻。彼尉陀不足論也。

王壽九十歲，在位四十年，尤善於調燮元氣，教訓人才。洎薨，入葬于我地。至晉末，凡一百六十餘年，爲林邑人開破王墓，遂見其全體不壞，面目如生前時，爲之大懼，乃復埋葬如故。世傳以爲王得仙遊云，遂立祠奉事。唐咸通中❻，高駢往平南詔，過于廟境，見一善人容貌秀麗，衣冠整雅，遮路相接。高駢悅之，延至幕中，與語三國時事。出入相送，倏然不見！高駢訪之村人，村人指示南京乃士王墓所。高駢嘆息良久，遂吟詩曰：自魏黃初後，將來五十年，唐咸通八載，幸遇王士仙。遠近州縣之人凡有祈禱，悉彰靈應。陳朝加封『善惠威加靈應大王』，至今爲福神也。（今廟在超類縣青湘社隴壥村及嘉定縣三栖社。二祠皆上等神。）❼

【校勘記】

❶乙本作「廣信人」。
❷乙本作「六世，至王父名賜」。
❸甲本作「旣優問博」，據乙本改。
❹乙本「路」字下有「胡人夾轂焚香」等字。
❺乙本作「林邑人入寇，發破王塚」。
❻甲本作「唐時咸通三十年」，據乙本改。
❼「二祠皆上等神」句，乙本作「墓亦在焉。廟有望祀亭，扁（匾）曰：『南交學祖』。有對聯云：『朔甸文宗洙泗後，南交學祖洛閩光。』」

朔天王傳

按禪苑集英❶書：昔黎朝大行皇帝，有巨越大師姓吳氏，常遊平虜鄉衞靈山。悅其景致幽勝，乃創庵居之。夜三更時，夢見神人，身被金甲，左手執金鎗，右手執寶錘，從者十餘人，狀貌可畏。來謂巨越大師曰：「吾即鬼沙門天王，從者皆夜叉也。上帝有勅令，賜我往探南國之地，護此下民。於汝有因緣，故吾來相托報。」師驚覺，俄聞上山有呵喝聲，心甚怖懼。及旦，入山林，見大樹枝葉蕪茂，有瑞氣陰覆其上。師乃命工伐之，刻木作神像，如夢所見。乃創立祠廟，以奉事之。

天福元年，宋兵入寇。帝素聞其事，命就祠廟懇禱。時宋兵駐在西結村，兩軍未接；宋兵忽見一人湧出波濤之間，高十丈餘，頭髮上指，瞋目而視，顯赫神光！宋兵見而驚駭，退兵保于岐江，又遇波濤震盪，蛟、龍、龜、鼈騰湧爲怪。宋兵見此，驚懼而奔潰之。宋將軍郭進乃班師回李國。

帝褒美其英靈，增立祠廟以崇奉之。或以爲董天王掃平殷賊後，騎馬至衞靈山榕樹❷，凡有所祈，用茶餅齋素而已。至李時，遣使祈禱，立祠廟于西湖之東鄉，尊爲福神天王，載在祀典也。

【校勘記】

❶「英」字甲本無，據乙本補。

❷「榕樹」句乙本作「騎鐵馬至衛靈山，登榕樹冲天，遺衣尚在，至今世人猶呼爲『易服樹』，凡有所祈，用茶餅齋素而已。」

乾海門三位夫人傳

按本傳：夫人姓趙氏，南宋公主也。母子三人，夫人其季女也。陳仁宗紹寶元年，屬南宋端宗播遷海嶠。帝以疾疽崩，丞相文天祥、陸秀夫、將軍張世傑等，立端帝弟帝昺嗣位。未幾，文天祥兵敗，被執北行。張世傑將帝浮舟，駐于厓山。元將張弘範以兵襲之，宋兵大敗，秀夫抱帝自沉于海，世傑亦溺死。

宋室臣民死者十餘萬人，母子三人抱得船板，漂到海岸僑千佛寺，饑困無所聊寓，寺僧見之可憐，爲之與飲食飽滿。養得數月，肌膚復還，容儀奇異。寺僧見而悅之，遽生邪心，夜求通淫，夫人守節，拒之甚嚴。寺僧悔悟慚愧，投身于海而死。夫人母子相立海岸上，謂曰：「吾母子賴僧養育，得遂生全。今僧欲淫于我，我貞節不聽，而僧慚愧自沈身而死❶，我何以生爲？」其母自投于海，夫人姊妹亦隨溺焉。仆屍漂盪至演州乾海門，栖泊沙岸。土人見其身體無虧朽，其言：「屍自彼仆流于此，海道險惡，不知其幾千里，而衣服容貌宛然如生。」皆驚異之，以爲神靈。於是海人相率封窆，立祠奉畢。遠近之人，行船過海，倘遇風濤危急迫，發心懇禱，呼吸之間，果得平安。

陳英宗南征，至乾海門駐蹕，夜夢見神女泣拜曰：「妾趙宋妃女，爲賊所逼，困擒風濤。至此，上帝勅爲海神久矣。今陛下師行，願翼贊立功。」帝覺，召故老，問其事；祭，然後發，海爲無波。及凱還，命有司立祠時祭。

黎聖宗南征至乾海門，親幸其詞說奠行肅揖禮。凱還，褒封。至今隨處海門創立廟祠奉事。此南海之福神最靈也。舊俗人不知，以淫戲謔神，何其謬哉。宜痛治之。上旌表爲正直之神也。

【校勘記】

❶「今僧慾淫我，……自沈身亡」一段，乙本作「今僧以我故而死」。

龍度王氣傳（在大羅城外，名曰：靈郎神王）

神本龍度王氣君也。昔高駢往遊南國❷，築大羅城方畢。一日，晡遊觀東城門外，倏然雲霧大作，見五色雲從地湧出，光芒奪目。有一人身被彩衣，粉飾奇偉；駕黃赤虹，手執金簡，隨烟蟠旋，鬱葱之氣良久始消。高駢異之，意謂鬼精，欲設壇場以禱厭之。神作夢謂曰：「願公莫生了心。吾非妖氣，乃龍渡王氣也。喜公今新建城府，故來相見耳。」高駢寤覺。明日會談，嘆曰：「吾不能服遠人耶？何致外鬼現之不祥？」或請立法壇設彼像形，以千斤鐵爲符厭之。高駢遂聽之，作符以厭。至後夜，天地晦冥，風雨振撼，裂碎鐵符，化成微塵。高駢怒曰：「吾知其北歸矣。」已而果然，人以爲靈異。乃立祠于京師市之畔。

後李太祖建立京師城址，夢見神人再拜，稱賀。王曰：「汝能保百年香火歟？」對曰：「但願聖祚綿綿，億萬歲之延壽，神享百年之香火。」上寤覺，命以牲醴奠祭，封爲昇龍城隍大王。

有時大風搖蕩，舖舍皆傾，存見神祠獨宛如故，王乃加封明亨大王。迎春祈祀之禮，率在於茲。至陳朝時，三度火災未嘗延及，大師陳光啓題詩云：「昔聞赫濯大王靈，今日方知鬼膽驚；火駁三燒延不及，風雷一陣扇難傾。指揮彈壓諸奸衆，呼吸消除百萬兵；伏願餘威摧北寇，頓令宇宙晏然清。」出杜善史記幷報極傳云。

盟主銅鼓山神傳

按報極傳云：盟主昭感靈德大王，本銅鼓山神，其山在安定縣丹泥上社。昔李太祖伐占城❶至長安駐宿；夜三更，夢見神人着戎衣，謂曰：「我即銅鼓山神，聞王南征，請從王師立戰功」王於夢中見許。既平占城，班師回京。命群臣創立祠于京城之左畔慈恩寺。

逮至太祖崩，太宗奉遺詔即位。是夜，夢神人告太宗曰：「群弟翊聖、東征、武德三王謀作不軌。」明旦，三王已伏兵于龍城內，急攻諸門，太宗命武臣黎奉曉以兵拒戰。

奉曉原清化府那山人，身長七尺，美鬚髯，甚有勇力。年少，梁江甲人有借力私鬭者，公正拔苗芽連根以驚破之。當時，奉曉開門，拔劍直到廣福門，大呼謂：「東征、武德諸王，窺竊神器，蔑視嗣君。何其忘思就背美？所以奉曉捧劍布獻！」乃斬武德王而東征、翊聖僅以走脫。❷難清平，果如神夢叶應，有多助之功。上頒勅褒封爲天下盟主，每年至四月初四日，百官盟誓：「凡爲臣不忠者，神乃殛之！」人人皆晨慕崇奉。若黎奉曉剷除內難，平賊奏捷，太宗褒美之，謂：「忠義英勇，過於唐敬德遠矣。」後佐上南征，大破占寇，豐功偉績，洋溢遐邇。爲之立祠，所祈靈應，歷代褒封，贈以王爵。

【校勘記】

❶ 乙本作「李太宗為太子，將兵伐占城」。

❷ 乙本「走脫」下有「凶徒奔潰」四字。

應天化育后土神傳

按報極傳云：神本南國天地之神也。昔李聖宗伐占城之時，還至海門，忽然大風暴雨，波濤澎漲，遙望如山；御船戰船，並不能渡。乃駐泊於岸焉。是夜，夢見一女子，素服紅裙，淡粧婉娩，上御舟而言曰：「我是南國大地之精，棲身于木久矣，今遇明君出征，願效從王事以成武功。」言訖，倏然而逝。上遽驚覺，召百官耆老與語。僧統宗惠生對曰：「上若夢見神人，言棲于木，可求得之。」於是特遣親近人，遍求岸上群峯。見得一木頭似人形像，宛然如夢中所見。王命官置御船上，焚香致禱，號爲「后土氏夫人」。頃刻之間，風濤浪帖，師行利涉，皆無震蕩之聲。已而破平占城，班師凱還，經過舊處，王勑立廟祠。久之，風濤再動，飄揚如初，惠生奏：「神意不欲居遠岸。歆羨回京。」，海浪晏然。回至京，建祠在安朗之鄉，咸影靈應。或有褻慢之者，竟以凶殃。

逮陳英宗時，適逢旱熯，王乃築壇立祈。神遂托夢于王曰：「本祠有勾芒神君，能行風雨。」上命有司致祭，果得大雨滂沱，勑封后土夫人。還歷代加封，以爲功於民也。

龍爪却虜傳（與金龍傳相似，在東安縣一夜澤處。趙光復後爲趙越王廟在大安縣獨步社）

按史記吳世傳：帝姓李，邦訥佛子，前南帝之族將也。前李南帝屬太平縣，王素有奇才，仕不得志。久有并韶者，富於詞藻，梁吏部蔡尊除爲廣陽門郎。韶耻之，遂與賁還本鄉。因有刺史蕭諮暴橫，相能豪傑俱起兵，出童城林邑，入寇于日南，賁命花修擧九德破之。乘勝自稱南越帝，改元天德，國號萬春皇帝，凡八年。

時越王姓趙郎光復，本鳶州人，爲前南帝左將軍。其朱鳶有一澤，週迴不知其數。賁亡，王乃收散兵三十萬，聚于澤中。（今俗曰一夜澤）甫及一年，懇禱得神人授龍爪，瑞使揷兜鍪，唯向賊皆破散。斬得賊將楊孱，梁兵退還。王入據龍編城，更詔還祿螺、武寧二城，自號越南國王，乃命分國，割界于神州而共治，南帝據烏鳶城。

後南帝子雅郎求娶趙王之女名杲娘，使成，歡喜。嘗私語杲娘曰：「昔吾兩父互爲仇讐，今乃成婚姻，不甚善乎？」因問杲娘曰：「父何靈術？却我父兵。」杲娘以直心對，不覺其意，竊取龍爪兜鍪示之。雅郎潛謀易得，私語杲娘曰：「吾今割愛，歸省其父居處，如何？萬一不慮賊到，汝父不勝而奔？汝以錦褥鵞毛爲表道，吾善將助之。」已而南帝率兵頓至，趙王初不之覺，臂兵持兜鍪而待賊。兵益進，知勢屈不出禦，遂携女南奔。賊兵繼踵，王大呼：「龍爪王何在？不出帥我乎？」忽見龍爪王，指示王曰：「女落鵞毛表跡，是賊。」王乃拔劍斬之，女子落水流去。王騎馬奔至大鴉海口，阻水路旁，再見黃龍畫水爲道，引王從之，水乃復合如故。南帝追到，茫然望洋，遂還。

越王在位二十三年，國人以爲驚異，後於大鵶海口立祠奉之。南帝還螺城及武寧城二處，封兄子爲太平侯，守龍編城；封大將軍李晉莊爲安寧侯，守烏鳶城。南帝在位三十二年，威靈大震，爲隋將劉方知滅之。後人立祠于小鵶海口，以奉事之。對越趙王祠云。

馮布蓋大王（俗謂父曰布，母曰蓋，故名焉。廟在慈廉縣廣布坊。）

大王姓馮名興龍，交州唐林人。蠻酋長，號里郎，豪富，有勇力，能排牛搏虎。其弟駭，尤有健力，能負千斤石十斛，小舟行十餘里。諸蠻獠中皆畏其名焉。

唐代宗大曆中，國中因交趾兵亂，兄弟相率，諸鄰邑地皆屬之。興龍改名巨老，弟駭改名巨力，並爲都君都保。其唐林酋長及峯州悉歸附之。由是，威名大震。時唐林都護高正中，以幕下兵攻之不克，乃憤憂成疾，發背而死。興龍入據都府，視事莅政，遽及十七年而薨。衆兵欲駭其佐吏頭目蒲破勒者猛健，力出拔山，不肯聽從。衆人乃立興龍子安爲都府君，以慰蠻人之望。駭避破勒，遷朱岩洞，後不知所終。

安尊父興龍爲「布蓋大王。」蓋吏言謂父曰布，母曰蓋，故以爲名焉。安嗣位三年，德宗以趙昌爲安南都護，昌入其境，遣使諭安。安與蠻人遂降，諸馮遂散。興龍之卒也，能顯靈異，衆以爲神，乃於都府之西立廟奉事。凡盜刼疑獄等事，齋就盟誓，顯見禍福，是以香火無窮也。

貞靈二徵夫人傳（廟在福祿縣唱江口）

按史記二徵夫人，姓本雄氏，姊名側，妹名貳，峯州麗冷人，交州雄將之女。初❶嫁於朱鳶詩索爲妻，有雄勇，能總決事務。時交州刺史苑定貪暴，州人苦之。姊怒，率其妹舉兵逐定，陷攻交州，以至九眞、日南、合浦等郡皆應之。遂略定嶺南六十五城，自立爲越王，妹稱徵焉，建都于鳥鳶越城。

苑定奔還南海，漢光武聞之，遂貶苑定，遣將軍馬援、劉隆等將軍舉之至諒山。夫人二姊妹扼戰逾年，後見馬援兵強力盛，恐不能支，遂退保禁溪，卒徒散走。夫人勢孤，遂陷沒于陣。❷州人憐之，創立祠廟於唱江口，以奉事之。人民凡遭災難，有所祈禱，丕顯神靈。

李英宗逢大旱，命威淨禪師禱雨，感應涼冷襲人，帝喜見之，忽然而睡，夢見二人戴芙蓉冠，著綠衣朱帶，駕鐵馬隊，隨雨而過。帝怪問之，神人答曰：「妾二徵夫人姊妹，奉帝勅命以行雨也。」帝諄勤請益，王舉手止之，忽然應夢！勅封修造祠廟，甚禮厚之。後亦托夢于上，請立祠于古來鄉。上從之，勅封「貞靈二夫人」。陳朝加封「威烈制勝純貞保順」美字。今香火無窮也。

【校勘記】

❶ 乙本「初」字下有「姊妹」二字。

❷ 乙本「陣」字下有「或云登希山不知所之」等字。

媚醯貞烈夫人傳（吾牒高昌國有草，實如繭，名曰氎子，取織以為布，甚軟白。）

夫人本占城國夫人，沒姓氏，名媚醯，即占城王乍斗妃也。李太宗時，乍斗失藩臣禮，上親征之。乍斗率兵陣于布政❶，爲上師所敗。乍斗爲亂兵所殺，其妻妾被執而歸。至黃江，夫人聞中使召上朝御船，含憤不勝，以白氈自纏，投江而死。每於霜晨月久，嘗聞哀哭聲。國人聞之，立祠廟奉事。

後上遊蕩仁江，御龍船，見廟祠在江測，怪，問左右。對曰：「此乃夫人祠焉！」上惻然曰：「果有貞應，相須報朕。」是夜二更現夢于上，身著占人衣服，再拜哭于上曰：「妾巧婦道，一事從夫，生同床，死同穴，守節不虧，況乍斗乎！彼雖不與陛下爭光，其男子亦一方之得意，妾素從蒙寵幸，彼以失道，上帝降責，假于陛下之手，致令國敗身亡。妾之日夜圖報無忘，一朝幸遇陛下遣中使送死人入水幸全妾身，感恩甚大。更有何術稱靈，仰陳聖聽？」言訖，倏然騰空而升。王驚寤，命具牲牢祭之，褒封協正夫人。歷陳重興元年，加封佐理夫人；四年，加封貞烈二字。興龍二十一年，加封眞猛二字，表其端貞之節也。

【校勘記】

❶ 乙本「布政」下有「江邊以待戰，尋」等字。

洪聖大神王傳

按史記：王姓范，名巨倆。昔李太宗朝以爲都護府，多疑獄，士師不能明決，樹立祠主於祠獄，要欲彰著神靈，痛塞奸詐。乃薰沐焚香，請告與帝。是夜，夢見一朱衣使者，稱爲上帝口勅，賜范巨倆爲都府獄訟盟主。上顧問：「是何人？典何職局？」使者曰：「黎大行皇帝有臣范太尉，爲臣盡忠於君。逮去世間，帝召勘校有功，補尚臺中司錄，以奮秩命典，按人間疑獄主者。」言訖不見。上覺悟，召問左右宰執，皆曰：「此善人也，即武安州牧令范占之孫，參政范曼之子，都尉范溋之弟。占佐吳王爲閥閱功臣，加封銅甲將軍；范曼佐南晉王，榮升參政都；范溋佐于丁先皇；范巨倆佐黎大行皇帝，有勳勞，官陞太尉。」上深然之，襃封洪聖大王。上夢見神王具冠服衮冕，趨庭拜謝，一如生時。上異之，命人撰文鐫石爲記，以顯其殊績靈異之神王也。

明應安所神祠傳（在丹鳳縣安所社。今東安縣朱所社。亦奉事祀典上等神。）

按杜善史記：王姓李名服蠻，古所鄉人也。李太祖遊幸至古所渡，望見山川秀氣，有感於心，索灑酒酹之曰：「朕見北方山奇水麗，苟有人傑地靈神祇者，受吾明享。」此夜夢見神人，高大碩美，稽首拜謝曰：「臣本鄉人，姓李名服蠻，佐李南帝爲將。以忠恕爲名，授杜洞唐林一帶江水，民乃居焉。蠻獠不敢犯，民皆案堵。迨卒❶，天帝嘉其忠直，更加封，守職如故。臣嘗累次領兵攻破逆賊，多年于茲。今遇陛下憐憫，臣已守職且久也。」既而嘆曰：「天下遭蒙昧，忠臣匿姓名，中天明日月，孰不見眞形。」言訖，倏然而去。

太祖驚悟，具以夢語御史大夫。梁任之曰：「此神要顯立祠廟，重修像形，以處之耳。」上命群臣置環玟，命匠建立祠廟，塑像形狀一如夢中所見，加封爲一方福神。歷至陳朝元豐年間，韃靼入寇至境，馬蹶不進，有驅策馬入于村人，村人恃神威力，率衆拒戰，大破虜黨，韃靼終不敢窺。

至重興元年，北虜入寇，到處皆焚蕩屋廬，遂經鄉邑，皆駐于祠。如有防護者。秋毫無敢犯，逆賊悉平。上乃封「討征安所」美號四字，至今尤顯顯赫赫其神靈也。

【校勘記】

❶ 甲本「乃居焉，蠻獠不敢犯，民皆案堵。迨卒。」乙本作「皆慕名焉，迨卒之日。」

大灘都魯石神傳（大灘社嘉定縣石在江起，於廟之右，祀典上等神。）

按杜善史記云❶：王姓皐，諱魯，乃安陽王之良臣輔佐也。俗名都魯石神，亦本於神名石龍之精也。

昔高王平南詔後，巡幸武寧州，至地頭處，夢見異人身長九尺，石貌淩層，推髻簪刀，赤褐束帶，來謁高王。高王問曰：「爾何名神？」神曰：「皐魯。昔朝輔安陽王同爲將軍，常有却敵大攻，被貉侯譖，去之。既沒，上帝憫其忠直，命賜一帶小江山管領都將軍。及南詔征討寇盜稼穡之事，皆語知之，爲一方福神也。今既從明王，剷平逆賊，寰宇泰然，復至本部，若不告謝，非禮也。」高王怪，問駱侯何等事相疾，曰：「出振之事，不可漏洩也。」高王請，答曰：「安陽乃金鷄之精，駱侯乃白猿之精，某乃石龍之精；鷄與猿相合，與龍相尅故也。」言訖，倏然而去！高王夢覺心記丁寧，語及僚屬。而自吟詩曰：「美矣交州地，悠悠萬載來。言賢能得失，終不負靈臺。」又云：「百奧奠區宇，二漢定山川。神靈皆佐順，唐家景福延。」又云：「南國山川勝，龍神入地靈。州民休蹙額，今又見昇平。」歷代加封美號，至今香火奉事赫赫如也。

【校勘記】

❶「史記」原作「本傳記」，據乙本改。

冲天昭應神王傳

按古法記又紀德碑云：王本建初寺土神。昔扶董鄉立土地神祠於等門之右，爲念誦處，後僧徒牢落，歲月侵尋，鄉人之爲神祠，隨俗祈禱。

迨至多寶禪師興造，重修寺宇，傳燈從牢住持嫌彼淫祠，意欲移之。一日，神在樹寺題詩曰：「佛法誠能護，任聽使祇園。若非吾種子，早隨別人遷。不爾金剛部，密跡那羅延❶」數日，又見八句偈顯云：「佛法慈悲大，威光罷丈千。萬神皆變化，三界盡周旋。吾師行政令，邪鬼敢能先。咱從受師記，長幼護祇園。」法師覺畢，乃設壇爲神受戒，祭用齋素。

初李太祖潛龍時，知多寶之高智，亦相與從遊。及受禪登極後，親幸其寺。是時，師迎王車駕，登祠側，抗聲問神曰：「佛子既能落俗，又能慶賀賓天子耶？」神即應聲，見四句偈於樹皮云：「帝德乾坤大，威聲震八埏。幽陰蒙惠澤，優渥拜冲天。」上覩頌，知其情意，乃賜號「冲天神王。」倏然，頌字乃沒去！上見異之，巧命工塑像，神容卓犖。

及捌軀開光度讚畢，忽然神自現於寺樹，有四句偈云：「一鉢功德水，隨緣傳人間。重重光照耀，沒景日登山。」師僧以此偈呈太祖，太祖不曉其意，後至李家失馭，惠宗第八子，即「八功德」也；諱「旵」字，即「沒景日登山」而亡國也；神之偈信矣！還代加封美字，奉事香火，以彰神體也。

【校勘記】

❶ 乙本「延」字下有「滿空塵雜衆，待佛滅冤愆」。

開天鎮國滕州福神傳（廟在金洞縣滕州社，祀典上等神。）

按杜善史記云：神本滕州古廟土地之神也。初黎臥朝末，李太祖未登極，猶典兵柄，食邑于滕州。有時遊覓于滕，至本鄉，舟行江上，忽遭大風雨。王顧問江皐：「是何神祠，有靈應否？」對曰：「此滕州土地神祠，民每禱雨即得，以爲靈應。」即大聲喝云：「若却得一陣風雨，這個邊晴，方許英靈。」少頃，果然一半江雨，一半江晴。上怪異之，乃令修葺叢祠，焚香禱雨。村人有詩曰：「美矣大王威望重，滕州土地顯神靈。却教暴雨無侵犯，邊那滂沱邊那晴。」上聞之，陰有自負之志。

迨臥朝昏暴，上將謀大事，就神祠告乞夢。其夜，王夢見神人報曰：「要勝克勝，要成克成。諸侯皆順服，邦國享昇平。三年中樂事，七廟自安靈。」既而夢覺，上未曉其意。有辨占之曰：「乃是吉兆。」及太祖既得位，乃升滕州鄉爲太府。封神爲「開天城隍太王。」及陳重興元年，加封「開天鎭國」❶。

其神祠在河堤內，常被洪水泛溢，有江邊鄉木奴村人，時望見車馬羽蓋，侍從行人，若往防護水蕩溢者，故堤垣畀濕，而水不能湊入，實賴神力之護持也。經久河決，逼近神祠。歷至統元丙戌歲冬節，更於大堤上路築基垣。立廟，正寢將成，一夕，縣吏與匠人宿於草舍，在堤腳外聞有人來借鍤，聲隱隱然相應，若雁人作狀。向晨就省，視礦石與竪柱，並已轉回，移入堤左邊近三尺許，尤顯顯其靈異也。

速奉迎寧神之日，快州府知府黃南金有詩題于廟曰：「分土州墟丕赫赫，開天玄造仰巍巍，祠成欲識眞靈跡，一夜神功妙轉移。」

【校勘記】

❶ 乙本「國」字下有「美號四字」四字。

威顯白鶴神祠傳（廟在白鶴三峽江）

按趙公交州記云：王本號土令長也。唐高宗永徽中，以李常明爲峯州都督，常明初赴任，見其地互千里，襟山帶江，迺於白鶴處建立靈觀，置三法像，以奇仲之。

創開前後二幕，擬塑護觀神像，未辨孰靈。焚香祝曰：「此間神祇，若能靈顯，急現形狀，得憑塑像。」是夜，夢兩異人，面貌姿雅，並擁衆徒，相呀相凌趨向庭幕。常明詳問公等姓名爲誰，一稱「土令」，一稱「石卿」。請誠較藝，勝者居先。石卿一應聲躍，到那江邊，忽見土令先那江邊住；石卿再躍，後那江邊又見土令先在❶那江邊住；於是土令自居前焉。其神像威靈，州人敬畏，奉事香火，爲三江之福神也。

陳朝翰林學士阮固，扈駕征哀牢，拜謁詩云：「魚龍符印掛腰間，前事依稀付將官。薄劣書生無望處，祇來祠下乞平安。」又學士王成務扈從西征，凱還，命贊神詩云：「貔貅十萬赫王靈，勢壓雲南塞外城。江左區區何足慕，風聲鶴唳震秦兵。」

【校勘記】

❶「那江邊又見土令先在」等字甲本無，據乙本補。

神珠龍王傳

世傳神王乃炎君之精也。

昔有烘路驕悍人，姓鄧氏，一名次，一名善射，兄弟入海捕魚爲業。時遭一異物，若木收然，長三尺許，其色如鳥卵，隨潮流上天，接至。夜間忽聞卵中有聲，自言語。二人驚懼，投卵下流，移船別洲泊宿。夢見一人來，謂曰：「昨綠東海龍飛，誤與炎龜交，又恐東海王覺，寄與汝等守護，勿令他觸犯，彼之長威，必能福汝，無他憂患也。」二人相覺，以語相告。忽然見二物之木，已附船邊，二人異之，載歸。至布拜鄉，木從船中忽躍上岸地，二人意欲居之，乃立祠，命工刻作像，奉事感應，時號「龍君」。

先朝遣侍臣入海求珠，徧祈海口，所獲者少。鄧氏子孫所得甚多，差官借問其故，鄧氏具以實告，乃差官備禮以祭之。由是大獲珠寶，勅褒封賜號「神珠龍王」。歷代加封美號，至今大有靈應。或有奸人懷怨呪咀，亦害及善民，爲可嫌之。

類續後跋

古之南傳記、世說、野錄、志異、雜編，所以慕時世之實事，述久近之異聞，以爲笑談於後來也。於皇大越英毓山川，藹稱文獻，豈世人之冠傑，事之神異，以記載之者哉？

今觀嶺南列傳，本無姓名，不知何代儒生之草創。是乃洪德士子慕澤塢武先生，顯擢範科，博學好古，釐之爲二卷，始於鴻厖，終於夜叉。凡二十二傳，記之爲序，幷列傳卷端，可謂奇偉之書矣。間有士仙、朔王等傳，石龍、白鶴諸神，殊未續編，不能無遺珠之惜也。愚昨錄公餘，借本抄誦，其於聖賢之美，岳瀆之粹，徵貞女之驍雄，乾聖妃之靈應，及事之闡世教者，必稽以趙公史記，參以越甸幽靈。搜廣補遺，去繁就簡，得傳之本，並類入後集，以便本家之要覽也。至若通考校正，深有望於博雅之名公也。

是知火冶流形，原於一氣；下爲深潭圓嶠，上爲景星慶雲，何非炳靈之跡？況人爲萬物之靈，而涇不事神異之事乎！其視裴硎之傳奇、宋人之別異，同一轍也，勿以孔子不語而謬誣也。

昔胡氏庭方著易傳，捉調書成，自慶歲月之虛度；愚於所集續成，亦自謂之云，於是乎跋以成其大概者矣。光寶初年，八月二十日，翰林院秀林局儒生段永福筆記。

尼師德行傳

清涼尼師姓范氏，交趾世族家。出家庵居清涼，毀服苦行，律精勤，解悟通暢。常習禪定，面貌酷似羅漢，遠近僧徒，莫不敬仰，蔚然爲世尼師宗師，與諸德齊名。洪武間，陳藝宗賜名惠通大師，居望東山。

一日，忽謂其徒曰：「吾欲以此軀施與虎狼。」一夕，入山石坐，絕食三七日。虎狼日日環踞，莫有敢進。其徒懇還庵，開門入定，經一變，乃集衆說法。因而闔然坐化，八十餘歲，茶毘，有舍利甚多，官爲建塔于本寺。

先是常囑弟子曰：「吾去後，當以吾骨與世間，磨洗人疾。」至收骨時，果敢不忍，乃盡函封。經宿，忽得肘骨在函外草上，衆皆異其靈驗。後有人病來禱，弟子磨水與之一洗，莫不立愈。其誓願深，乃至於此。

范子虛事師傳

李惠宗朝，子虛錦江義閭人，家中貧乏，移居華封。少年孤幼，樂道好學，從師楊湛（字公直），常如其訓，集意成章。

及公直卒，其子年幼，未能奉事。子虛告母曰：「師家貧子幼，我家遺田幾何？」母曰：「遺子有六篙。」子虛泣曰：「請母以二篙賣于村人，取錢助師事。」母亦泣，隨之賣二篙，錢得三十貫。子虛即買辦等物，以助祭于師。又營室于師墓之側，日夜燈火，奉事至三年，畢事即還。

迨至甲子科應試，中第三場，丁卯科中第四場。於本年十二月子虛自家赴京，到鎮武寺，日遇大暑。子虛入寓于寺，忽見師公直儼坐于內，子虛驚，拜即泣曰：「師之歸已七八歲，不知何由即復見在此？」師曰：「子虛有義於我，故我出見而告之。」子虛泣曰：「師之歸日，臣家貧乏，難以為禮。今日見師亦空手，將何以為義？」師曰：「答虛答虛，我生時居陽世，公平正直，及卒，上帝以我為判官兼知貢舉。」子虛問曰：「師知臣于命如何？」師曰：「今予未知，汝還至來年十二月二十八日，汝來至於本寺，我則告之。」子虛拜謝，即還家，日夜思慮，信如眞言。

至來年是日，謂其母曰：「子往京師，從京官茲有事限。」即將炊酒就寺。已見師與弟子已先在坐，子虛即稽首而拜，具其酒肉為薦之，師弟共飲食。師告之曰：「脫汝衣冠付弟子，以弟子衣衣之」，師乃以手衣捉之再三。

子虛昧目從師登于上天，至南曹北斗衙所，見一官衣紫衣，南曹坐北斗坐于左右，師亦坐于下，共論察天下德行文學之士，以名出榜。或為桂陽人陳泰優文學，南曹曰：「陳泰有文學，無德行，且父母無德，不可！」或薦西姥人有文學，南曹曰：「西姥人以文學驕人，且其妻不肖，不可！」至安樂人范公平優文學，矧祖宗積德，父母俱賢，可居第一，是為狀元。鳳山人阮日質文學粗有，德行亦全，可居第二，是為榜眼。上賢人王文校文學少有，德行多兼，可居第三，是為探花。三魁名論已畢。逮至上福人楊政，文學雖少，母及妻俱有賢行，家貧慕道，可居第四，是為黃甲。前後得四十人著名于榜。判官乃薦華封人子虛，有文學可採。南曹曰：「子虛以文學驕人，不可！」判官曰：「子虛年幼狂言，雖有驕人，未為害人。」紫衣官曰：「子虛孤幼，母有德行，且有義於判官，亦可恕。」置第下，即粘子虛，賜名於四十人之下，乃掛榜天門。右官北斗曰：「子虛出行，若寘之下第，恐有乖次。」紫衣官曰：「我以白字加之，則黜于下，何乖之有？」

明年戊辰三月，應會試科。子虛入第一場，久治經，監考官見疵，而掛藁得三、四日。夜，師又作夢，告欽差官曰：「有進士掛藁于外。」明日差官尋見一藁，掛在公堂之下，即送編錄入考，果中高第。至第四場，子虛文體渾厚，典愼密，可置高第，但白二字不取。其可取者，得四十人，奏于王，以出榜。王曰：「每科以五十爲限，玆科少取不肯。」後令考官尋察，大體渾厚可取，不拘白字。」至是再取一藁，果是子虛，復粘出于四十人之下。乃知天意可驗，榮進素定，不可言。

後子虛歷登顯官，累至贊治翊運功臣，特進金紫榮祿大夫，玉帶金魚參從吏部尚書，兼掌六部御史臺，事貞國公，贈太宰，封忠貞大王，爲華封上寺神。生三子，二子居華封，一子還居義閭。范文峻之祖，范煥之高祖，果紹箕裘，家傳譜系，世世子孫猶有修業焉。

易曰：「積善之家，必有餘慶。」誰不信歟？玆傳記以行于世，使後之君子，耳聞目睹，心受神領，庶亦折桂看花，揚名顯後之一助云。

嶺南摭怪外傳

朱鳳玉　校點

嶺南摭怪外傳序　　文州縣阜下社進士喬富作
桂陽雖嶺外、山川之奇、土地之靈、人之豪傑、神之靈異、
往往容或有之、自春秋戰國以前、去古未遠、南俗猶多
簡略、未有史冊以記其實、故古事率多遺亡、其幸而
不泯者、特民間之口傳耳、逮兩漢之間、東西晉、南北朝、
暨唐宋元明、始有史傳以載之、如嶺南記、夏廣記、交
趾略等書、歷歷可考、籙我越乃古要荒之地、故記

載者大略之也我越有國始於雄王而文明之漸則始於丁黎而盛於李陳至今則尾閭矣故國史之載詳加詳矣嶺南摭怪簡其口傳之史筆不知出於何代成於何人姓名殆不見鐫意其草創於李陳之鴻生碩儒而潤色於今日好古博雅之君子矣愚請究其始末逐一陳之而推明作者之意始鴻厖傳詳言哉越甸鉞之南夜之王傳畧叙烏域兆扁之濟白

書影

嶺南摭怪列傳

鴻厖氏傳

初炎帝神農氏三世孫帝明生帝宜南巡五嶺接婺仙生涇陽王王容貌端正聰明夙成帝明奇之欲立爲嗣王固讓其兄帝宜於是立帝宜爲帝以治北國封王於南以治南國號赤鬼國王能行水府娶洞庭君女曰神龍生崇纜號貉龍君以治其國涇陽王不知所之君

湧遂望如山御船戰艦不能渡乃泊於沙岸夜夢女人十餘
服紅裙淡粧婉娩登御舟言曰妾是本國大地之精棲神
于木久矣今遇明君出征願効從我以立功言訖不見上寤
驚悟有左右者宿與語有僧統惠生對曰神言託棲于木
宜求而得於是遣親人偏求岸上群峯偶得木頭似人之形如
夢所見命置御船焚香致禱號后土夫人頃刻風晴浪恬行
師利渉已而平占師還過前處敕立祠頃之風波再動飄

蕩如故、東生奏神意不欲居邊岸、欲便回京球坡、很依、
[海]浪帖然、上至京、作祠宇於安朗鄉、有蘵岐者立見文人、逆
陳英尊辰、旱熯、禁壇以祈神、托夢于上、[又]本祠有司老石、
能行法雨之命、有司享之、果得大雨、勅封后土夫之人、經代、加
封、以其有功於民、陳朝封應天后土神祇、元君、凡立春土牛
皆納祠下、至今成俗焉。

嶺南摭怪外傳 序

安山縣阜下社進士喬富作

桂陽雖嶺外，山川之奇，土地之靈，人之豪傑，神之靈異，往往容或有之。自春秋、戰國以前，去古未遠，南俗猶多簡略，未有史册，以記其實，故古事率多遺亡。其幸而不泯者，特民間之口傳耳。逮兩漢之間，東、西晉、南北朝，暨唐、宋、元、明，始有史傳以載之。如嶺南記、夏廣記、交趾略等書，歷歷可考。然我越乃古要荒之地，故記載者大略之也。我越有國，始於雄王，而文明之漸，則始於丁、黎，而盛於李、陳，至今則尾閭矣。故國史之載，特加詳矣。

嶺南摭怪簡其口傳之史筆，不知出於何代？成於何人？姓名缺不見錄。意其草創於李、陳之鴻生碩儒，而潤色於今日好古博雅之君子矣。愚請究其始末，逐一陳之，而推明作者之意。如：鴻厖傳，詳言我越開創之由；夜叉王傳，略敍占城兆前之漸。白雉有傳，志越裳也；金龜有傳，史安陽也。南國聘禮，所重莫若檳榔也，表而出之，則夫婦之義、兄弟之睦，於是乎彰矣；南物夏時❶，所貴莫如西瓜也，揭而言之，則特有己物，而不顧主恩，於是乎著矣。蒸餅之傳，嘉孝養也；烏雷之傳，戒淫行也。董天王之破殷賊，李翁仲之滅匈奴，南國有人可知矣。褚童子之遇仙容，崔仲之逢仙偶，爲善陰騭可見矣。道行、孔路，美其能復父讎，而神僧之輩烏可泯也。魚精，狐精等傳，稱其能除妖怪，而龍君之德不可忘也。二張忠義，死爲神明，旌而表之，孰云不可？傘圓英靈，能柑忠水族，顯而彰之，誰曰不然？與夫南詔爲趙武之後，而國亡能復父讎；蠻娘乃木妖之母，而歲旱能作霖雨。蘇瀝爲龍肚之精，猖狂乃旃檀之精，一則立祠以祭，而民受其福；

一則用術以除，而民免其禍。則事雖異而不至誕，文雖神而不至妖，雖涇於荒唐不經，而踪跡猶有可據，無非勸善懲惡，去僞就眞，以激厲風俗而已。其視晉人之搜神記、唐人之幽怪錄同一致也。

嗚呼！嶺南之奇，列傳之作，不待刻之石，鐫之梓，而著于民心，碑于民口。童之黃，叟之白，率能稱道而愛慕之，懲艾之，則其事係於綱常，開於風化，夫豈云小補乎哉！洪德二十年和中節賜戊辰科進士茂林郎京北道監察御史洪州澤塢伯武瓊晏溫謹識。

【校勘記】

❶「時」，原避諱作「辰」，現改回原字，以下皆同，不另出校記。

嶺南摭怪外傳

鴻厖氏傳

初，炎帝神農氏三世孫帝明，生帝宜，南巡五嶺，接婺仙，生涇陽王。王容貌端正，聰明夙成。帝明奇之，欲立爲嗣。王固讓其兄，帝明於是立帝宜爲帝，以治北國；封王於南，以治南國，號赤鬼國。王能行水府，娶洞庭君女曰神龍，生崇纜，封爲貉龍君，以治其國。涇陽王不知所之，君既嗣位，教民耕稼衣食，始有君臣尊卑之分；父子兄弟之倫。或時居水府，而百姓晏然無事，時或有事，則呼龍君曰：「逋（與布同音，國俗號父為布。）乎不來？以救我輩。」龍君即來，其威靈感應，人莫能測。

時帝宜之子帝來治北方，天下無事，思及祖帝明南巡得仙女之事，乃命親臣蚩尤代守其國，而南巡赤鬼國。時龍君居水府，國內無主，帝留愛女嫗姬于行在，流遊地方，遍觀形勢。見土地所生，異花奇木，山殽海錯，無物不有。風土四時，不寒不熱。心愛慕之，樂而忘歸。

南國之民苦其煩擾，不得安恬，每日夜望龍君相率勵聲呼曰：「逋何在？乃使北主侵擾吾民！」龍君倏然而歸。見嫗姬獨居于行在，容貌奇偉，媵妾侍從，不異仙居。龍君悅之。乃變好兒郎，豐姿秀麗，左右前後，從者衆多，歌吹鼓舞之聲，達于宮中。嫗姬悅從，龍君迎居岱宕。帝來還行在，不見嫗姬，分命群臣遍尋天下。龍君有神術，變見百端，或爲妖精鬼魅，或爲龍蛇象虎。尋者畏懼，不敢搜索，帝來北還。

時北國蚩尤作亂，黃帝攻之不克。蚩尤獸形人語，勇猛有威。或教黃帝以兕獸皮被鼓爲令而戰之，蚩尤乃驚喪而敗于涿鹿。黃帝自立，帝宜與黃帝三戰而不克。困于洛邑，神農氏亡。

龍君與姬嫗相處，期年而生一胞，以爲不祥，棄于原野。五、六日，胞中生出百卵，竝皆男子，歸而養之，各自長大，不勞乳哺。智勇俱全。人皆畏服，謂之兄弟皆非常人。時龍君久居水府，母子思歸北國。行至境上，黃帝聞之，率兵拒于塞外。母子不得北歸，再還本國。呼龍君曰：「逋何在？使妾母子孤寡皆受傷悲？」龍君忽然而來，遇于棄野。姬曰：「妾本北國人，與君相處，生得百男，無由鞠育，今乃棄妾而去，使無父無夫之人徒自傷耳！請得與君相從。」龍君曰：「我是龍種，水族之長；你是仙種，地上之人。水火相尅，合倂實難。雖陰陽氣合而有子，然生類不同，難於久處。」乃分命五十子從母歸山，五十子從父歸南海，分治各處。令曰：登山入海，有事相聞，無得相廢。百男各相聽受，然後分去，百粵之祖，實始于此。

姬與五十子居峯山，（今山西白鶴縣。）因推尊其雄長爲王，號曰雄王。繼龍君而治，國號文郎。分國中爲十五部，其地：東夾海，西抵巴蜀，北至洞庭，南抵孤孫精國。命羣弟分治之。國初，民用未足，以木皮爲衣，織草爲席，木汁爲酒，以桄榔櫻桐爲飯，禽獸蟲魚爲鹹，薑根爲鹽。刀耕火樹，地多糯粳，以竹筒炊之。架木爲屋，以避虎狼之患。剪短其髮，以便山林之行。人之生也，以蕢葉坐之；人之終也，以杵椿合之。鄰人聞之，皆相救助，男女嫁娶，亦用檳榔，以鹽封爲先，然後將牛羊以成禮。以糯米爲飯，房中相食畢，然後成婚焉。

狐精傳　貉龍時

初，龍編（今京府大羅城李泛舟于珥河有登龍引舟，因名曰昇龍城。）地有小石山，山下之穴有九尾狐，壽千餘年，能爲妖怪，變化百端。或爲人，或爲鬼，徧居人間。時傘圓山下，蠻人架木結草爲家，以居焉。山有靈神，蠻人奉事之。教蠻人以耕織，常造白色衣著之，故曰白衣蠻。九尾狐常化爲白衣蠻人，入蠻衆中，同歌唱，誘取蠻人男女，爲藏于山穴。蠻人苦之。其山東枕瀘江，龍君遂遣水府引水攻上，破山谷。狐精乃走，水族遂追，獲狐殺之。其山流大江，陷成深淵，今呼爲狐屍潭。（卽今西湖）遂立寺觀，以壓鎮之。今全牛寺是也。江之西岸平夷，耕作田地，今呼爲狐同。土地高眷，民邑而居，今爲狐村。其孤穴呼爲孤魯，塔曰魯猎。世傳白狐九尾生九子，龍君既殺白狐及八子，其一子走脫演州，亦姓胡。季犛其苗裔也。（按此說未必然，蓋季犛狡惡，人皆惡之，故極言之爾。）

魚精傳　貉龍時

東海之間，有魚蛟之精，長五十餘丈，多足，如蜈蚣形。變化百端，靈異莫測。行則動風淫雨，多啖食人，人甚畏之。

又有魚，貌形似人，遊到東海，遂化成人，能通言語。漸漸生男女衆多，還與魚蝦蚌蛤爲食。又爲蛋人，生居海岱，常捕生人爲業。後亦成人，與人相交，與（以）鹽米衣裳之物，賣買而食，盡成世人。相往來東海間有魚精宕，齒石齟齬，橫截海濱，下有巨穴，魚精居焉。人之往來者，常爲所害。又風濤惡險，無路可通，欲開別路，頑石難鑿。人船過者，魚精害焉。會夜有仙人，鑿石爲港，欲便人行。魚精化爲鷗，鳴於山上，群仙聞之，疑其曙，皆飛昇去，其港未通，今呼仙陶港。在安廣道永興州。

龍君憫民被害，化爲民船，令水夜叉禁水神不作風濤，撑船至魚精岩，洋(佯)持一人，如將校之狀。魚精引口欲啖之，以鐵塊通烘，投之口中。魚精踴躍翻騰打人船。龍君斬斷其尾，剝皮鋪於牛山下，今呼爲白虎尾。其首流出海外，化爲走狗去。龍君以石塞海斬之，遂化爲狗頭，今呼爲狗頭山。其身流入蔓水，故曰蔓頭云。

董天王傳

時雄王傳第六世，天下熙皡，民物殷富，朝享不行，奠獻不入。殷王見其缺朝覲之禮，托以巡狩，欲自將往侵之。王召羣臣，問以攻守之策。有方士進言曰：「莫若求龍君以降其將帥。」王從之。乃築壇齋戒，具金銀幣帛之禮於壇上，焚香致敬，祈祭三日。後天大風雷雨，忽見老人高九尺餘，面方腹大，鬚眉皓白，坐於岐路，談笑嬉遊，歌舞吟唱。人人見之，知其非常人，入告于王。王親行拜迎，至壇上。進獻酒食，並不能飲食言語。王因問曰：「聞有北兵將來侵，勝負如何？必以告之。」老人良久索取遙籌竹卜之，乃謂王曰：「三年之後，北賊必來。當嚴整器械，精練士卒，爲國家計。且徧求天下奇才，能破逆賊，則分封爵邑，傳之無窮。若得其人，則逆賊可平矣。」言畢，騰空而去，乃知其爲龍君也。

三年，邊果告急，王如其言，徧求天下。至于武寧扶董鄉，富家翁年六十餘，生男子，三歲餘徒能飲食，不能言語，仰臥不能起坐。其母聞使者至，徐戲兒曰：「生得此男，徒能飲食，不能擊賊，以受朝廷之賞，以報乳哺之恩。」其子聞之勃然，令母呼使者來。母大驚異，告其鄰，謂：子已能言。鄰人亦驚喜，迎使者來。使者問曰：「爾小兒耳，呼我何爲？」小兒起坐，謂使者曰：「速歸告王，願爲鐵馬高十八尺，劍長七尺，鐵笠一頂，將來與我，賊自驚散。王何憂乎！」使者甚喜，回言於王。王且驚且喜，曰：「吾無憂矣。」群臣曰：「北賊如此，何可破散？」王曰：「此龍君所以救我，如老人前年所言，的不虛說，諸君何疑？」命鍊鐵馬、鐵劍、鐵笠，以與小兒。使者齎至，母見而驚異，恐禍及己，憂懼彌甚。兒大笑曰：「母但以酒食多與兒喫，擊賊之事，母切勿憂。」兒身驟大，衣食日費，其母供不足，鄰人爲之炊爨餅菓之需，喫不能克腹。布帛綿纊之物，服不能蔽體。至編葺蘆花繼之。及殷兵至鄒山，兒伸足而立，長十丈餘，仰鼻吼連十聲，餘拔劍勵聲曰：「我是天將！」遂戴笠騎馬，踴躍長鳴，馳走如飛。一瞬到王軍前，乃指劍前行，官軍隨後，進逼賊壘，陣于武寧鄒山之下。殷兵大潰，倒戈相攻，其餘黨羅拜曰：「天將！」悉皆降服。行至安越山，乃脫衣服，騎馬升天，猶留人馬之跡於山石上焉。王思其功，無以報之，乃尊爲扶董天王，立祠於本鄉，賜田一頃，晨昏享祭之。終殷之世，二十七王，六百四十年，不敢復加兵焉。四方聞之，皆自畏服。後李唐朝，封冲天神王，王神在扶董鄉寺側，塑像在扶衞靈山，仲春祭焉。

褚童子傳 雄王時

時雄王傳第三世，王有一女，爲仙容媚娘。年十八歲，容貌秀麗，不願嫁夫，好遊山水，巡行天下。王愛而許之，不禁。每年二、三月間，浮船巡遊。

時江邊褚舍鄉，有褚衢雲，生褚童子。父子性素慈孝。適家又火災，財產殆盡，存一布袴，父子出入，互相著之。及衢雲病，囑其子曰：「我死必裸而葬，袴留與爾。」及父卒，以袴歛之。童子身體裸露，饑寒無聊，隱迹江邊，望見往來商舶之船，則立水以乞食。又持竿釣魚，以養身。時仙容船至鄉津，鐘鼓管絃，儀仗侍從十分盤盛，童子不意遽見驚怖，避隱于浮沙蘆葦中。爬沙成穴，以藏其身，復以沙厚覆其上。頃刻，仙容船駐于此，見其淨潔，遂命以幔幃圍叢中沐浴。仙容入幔幃中。解衣自沐，灌水沙散，露見童子。仙容駭視良久，知其爲男子。乃謂童子曰：「我本不願嫁夫，今事如此，必是月老寅緣，天所使也。」遂命沐浴，賜以衣裳，乃同下船，飲食宴樂。舟中之人以爲嘉會，今古所無。童子具道其所以然，仙容嗟嘆，命結爲夫婦，童子固辭。仙容曰：「妾之與君，天作之合，又何辭焉。」從者馳報雄王。王聞之，怒曰：「仙容不惜名節，遨遊道路，下嫁貧人，又何面目以見？」

仙容懼不敢歸。遂與童子立市廛，開舖與民貿易，漸成鄉里焉。（今深市）外國商人販賣，事仙容、童子爲主焉。有一大商謂曰：「貴人誠能出黃金一鎰與我往海外買貴物，明年必得十鎰。」仙容謂童子曰：「我夫婦是天所使，衣食是天所賜。君宜取金，與商人同往焉。」

童子與商人往至海外瓊闐山。山上有小庵，童子登遊。庵有小僧，名佛光，欲傳法於童子。童子乃留學焉，付金與商買物。回至庵所，歲餘，童子歸。佛光贈以一杖一笠，曰：「靈通亦在此矣。」

童子歸，具以佛道告仙容。仙容覺悟，遂廢市舖商業，二人相遊，方尋師問道。一日遠行，日暮未到村舍，暫駐途中，植杖覆笠以自蔽。夜至三更，現出城郭、珠樓、寶殿、臺閣、廊廡、府庫、倉廩、金銀、珠玉、床帷、帳幙、仙童、玉女、將士、侍衞，羅列滿前。明日人見而驚異，各持香花玉食之物，進獻稱臣。又有文武百官、分軍宿衞，宛然別成一國。

雄王聞之，以爲作亂，調兵擊之。官軍衆將請禦之。仙容笑曰：「非我所爲，實天所使，生死在天，何敢拒父？順受其正，聽其誅戮。」時所集之人驚潰四散，惟舊衆在焉。官軍進至，駐于自然洲，猶隔大江。日暮，軍未及進。半夜，天起大風，揚沙拔樹，舂植以居，棟宇自拔。居人及鷄犬，一時同升于天，〔皆〕其空地在澤中，人呼其洲曰自然洲，其澤曰夜澤，其市曰阿琛市，遂立祠堂，歲時致祭焉。

至李南帝命光復將兵禦粱，居於澤中。深闊沮洳，難於行止。光復用獨木船以便往來，粱賊不知所在，光復夜暗以船擊賊，刼以糧食。粱軍屢失機，三、四年來，粱難與戰。嘆曰：「升天一夜澤，信矣！」國人因號爲夜澤王。其後「粱召陳伯先還，委其裨將楊孱來侵，趙武王取遂齋戒懇禱，（王姓趙，諱光復，朱鳶人，今山西安朗縣。）設壇場于澤中。忽見神人乘龍而下，謂王曰：「我升天，威靈尙在。汝能誠禱，故來救助，以平禍亂。」遂脫龍爪以授王曰：「以此插兜矛上，所向披靡。」言訖，升天。王從得此，氣力增倍，威聲大振，奮身大戰，粱兵敗散。斬楊孱，粱賊乃退。俗傳神人，即褚童子也。王既克粱，遂稱帝。城于武寧郡鄒山，王即前李南帝左將也。

時南帝族將李佛子稱王于野它，與王戰于太平縣。佛子兵少却，意王有異術，乃講和請盟，割界于君臣洲，（卽慈廉上下葛）居國之西，遷烏鳶城（下姥）王居龍編城以佛子乃前李南帝族，不忍絕焉，相與交通，分治焉。佛子稱後李南帝。有子雅郎，求娶王女，名杲娘，遂成歡好。雅郎私語杲娘曰：「昔吾兩父，互爲仇讎，今成婚姻，不亦樂乎！」因問娘曰：「父何靈術？却我父兵。」娘以眞心，不覺其意，密取龍爪兜矛示之。雅郎潛謀易之，私謂娘曰：「吾今割愛，歸省其父，萬一不虞，汝以綿褥鵝毛爲表道，吾將助之。」南帝既得龍爪，渝盟攻趙，王不之覺，督兵披兜矛，立以待。南帝兵進，王自知勢屈，不能禦，遂携杲娘南奔。南帝兵踵後，王奔至大鴉海口，阻水呼曰：「龍爪王何在？」忽見龍王立於江水上，湧出指示曰：「女子鵝毛表跡，是乃賊也。」王乃拔劍斬之，女子落入水去，王亦入海，不知所之。再見黃龍，畫水爲引道，王從之。南帝追到，茫若望洋。後人以爲怪異，立祠于大鴉海口，以奉事之。南帝後爲隋人所滅。民又立祠于小鵝海口以對之。（大鵝卽今大安縣獨步社。）

按：鵝毛表道之事，媚娘、杲娘皆因一事而兩言。蓋史氏以蜀、趙亡國之由，皆於女婿。

傘圓山神傳　雄王時

傘圓山在國都京城之西。三山羅立，峯圓如傘形，因名焉。山之大王，山精浩氣之神。初，王自海國，由神符海口而歸，尋其高爽清朗之地，民俗淳樸之區而居焉。通泝大江，至龍編、龍肚之津，欲有不滿之意，遂去之。泝瀘江之上，至福祿江畔潘津，望見傘圓山高聳秀麗，山峯羅列，儼然如蓋。王於是作一條路，其直如絃，自潘津回傘圓之陽，行至衞洞息焉。又行岩泉原野之處，並作殿宇，以自安。又行石畔雲夢之原嶺以居之。或時遊黃江以觀魚，經過村落名區皆作殿以息之。民見村落前跡，遂作祠以事之。

王與水精俱問娶雄王之女曰媚娘。雄王異而問之。因謂曰：「我有一女，焉得嫁兩賢乎？」乃約：明日能具聘禮先來，即與之。明日，王將珍寶、金銀、山禽、野獸等物來獻，雄王如約嫁之。王迎回傘圓山高峯居之。水精亦將聘物後至，悔恨不及，遂興雲作雨，激水漲溢，追奪之。王張鐵網，橫截慈廉上流以扞之。水精從別江，自洳仁入廣威山腳，緣岸上喝江口，出入沱江以擊傘圓之後。又浚開小泝江，以向傘圓之前。所至甘庶、東樓、古鷌、麼含沿江之間，陷破爲灣，以通水族之衆。處處鑿爲淵爲潭，積水圖襲之。常起風雨，引水以擊，王神化山下民編竹爲籠，以禦水。以弩射之，鱗介諸種中箭避走。蛟龍、魚鱉之屍，流塞大江，終莫能犯，年年常有之。俗傳是世讎。每年大水，常相攻云：大王靈應，最爲顯驗。旱時禱，潦時祈，禦災捍患，捷於影響。奉祀者誠敬不已，往往不咎。又晴明之日，如幡幢之形，縹緲山谷間，附近之民，謂山神現。唐僖尊（宗）時，高駢來守我國，嘗欲壓勝靈跡，捕十七、八未嫁之女，以花草充其腸，被以衣裳，坐以几椅，祭以牲牢，伺其舉動，愚弄諸神，率用此術。駢嘗以薦於王，見其乘白馬於雲端，唾而去之。駢嘆曰：「南方靈氣未可量，旺氣烏可絕也！」王威靈昭普如此。

初，山下之人，俗尚殺牛釃酒，日夜飲食不厭，晝夜歌吟沉醉，樸素而已。王於岩源頭創立屋舍，以備遊觀甜樂。王得仙術，變化無窮，陳翰林阮士固從征西蠻，謁拜題詩曰：「山峙天高神頓清，香心纔叩已聞聲；媚娘亦具威靈着，願爲書生保此行。」其威靈顯著，爲大越第一神也。或遊雲夢之間，或泛珥河之流，咸有舍息焉，其靈顯有在如此。

郎僚蒸餅傳 雄王時

雄王破殷兵之後，國家無事，思欲傳位於子，巧會官部二十二人，謂曰：「有能如我願，欲珍甘美味，將以歲終薦於先王，以盡孝道，方得傳位。」於是諸子搜求山禽野獸，水陸之味，不可勝數。獨第十八子郎僚，母氏寒微，先已亡沒，左右寡少，晝夜憂思，寤寐不安。夢一神人告之曰：「天地之物，米之爲貴，所以養人也。食不能厭，他物莫能先之。巧教以糯米爲餅，或舂粘麵爲圓，以象天；或葉裹爲方，以象地，中包藏珍甘美味之物，以象天地父母生育之狀，如此則親心可悅。尊位可得。郎僚驚覺曰：「神人助我回也。」遂遵而行之。
至期，諸子以獻，無物不有。惟郎僚以此二餅進，方曰蒸餅，以木蒿燒火熟之。圓曰杵搏餅，米炊至熟搗爛爲之。王驚異而問之，郎僚以實對。王嘗之，適口不厭，諸子之物，莫能加之。王嘆美良久，以郎爲第一。歲終節序，王以是餅祭祀奉養父母。至今有名郎僚餅。故曰節料。
王乃傳位于郎僚焉。兄弟二十一人，分守藩籬，各立部黨，處守一州，以爲險固，世世傳之。迨于後世，相爭不睦，立木柵以遮護之，故曰柵，曰村，曰莊，曰坊，自此遂以成俗。

高氏檳榔傳 雄王時

昔雄王世有一官郎，狀貌高大。王因賜高，遂以高爲姓。生得二男，長曰檳，次曰榔。二人相似，不辨兄弟。年方十七、八，父母俱沒，相與學道，師道士留道玄。留家有一女，年亦十七、八。見而悅之，欲結爲夫婦，而不識其何爲兄，乃以粥一鉢，箸一雙與食，以觀其讓，始辨之。乃歸告其父母，嫁與兄。結爲夫婦，情愛至切。後待其弟不如初，弟自感愧，謂兄愛妻而忘己，不告而去。行至林野，遇深泉，無船不能渡，獨坐慟哭而死。化爲一樹，生於江口。檳不見其弟，棄妻追之。見其已死，投身樹邊，死成石塊，盤結樹根。妻不見夫，追尋之。見夫已死，亦抱石而死，化爲藤叢，旋繞於石樹上，生葉馨香。
留氏父母追到此處，不勝哀慟，乃立祠以祭之。及還，夜夢前二人來拜，曰：「某等以兄弟之情，義不苟生，連及令愛，幸不見罪，而復蒙慰祭。」女繼之曰：「妾自托生，撫養至茲，無由報答。頃以夫婦之故，從一而終。夫婦之義雖全，父母之恩則缺，敢來請罪。」留氏曰：「汝等能盡友恭之道，篤純一之誠，吾亦何恨？」但曰：異路適分，一朝千古，故誠哀感耳！時人到處，皆焚香致拜，稱爲兄弟友愛，夫婦節義。

七、八月間，暑氣未除，雄王巡行，到此駐蹕，見祠樹葉繁多，藤葉彌蔓。王登而問之，乃知其事，嗟嘆良久，令人摘菓採葉，又焚石灰，合一而食。王親咬破，噴於石上，其色殷紅，氣味芬芳，朱唇甘口，王知爲貴物。食入口中，最爲佳味，乃取將歸，合以石燒爲灰，以擾食之。至菓熟時，便以植之。及其藤葉，因以高氏檳榔之名，及留氏之姓，遂名檳榔、芙蓄，頒行天下，令隨處植之。凡嫁娶賓客會同大小之事，以此爲先。此檳榔由始也。

枚氏西瓜傳

雄王時

雄王之時，枚暹，外國人也。甫七、八歲，王買於商船爲奴。及長，容貌端正，記識事物，王賜姓枚名偃，號安暹。賜以一妾，生得男女。王寵愛之，凡一應事務，悉皆委之，漸成富貴。人自畏服，苞苴踵門，無物不有，遂生驕傲之心，日日口言嘗曰：「都是我前身之物，不曾顧有君恩。」王聞之大怒曰：「爲人臣子，自生驕肆，不知主恩，謂皆前身之物。今置于海外無人之地，尚有前身之物否？」乃放安暹於石炭海口沙洲外，四旁無人迹遍焉。留之糧食，足供五、六日者，使之食盡而死。其妻悲慟，安暹笑曰：「天既生我，生死在天，吾何憂哉？」居無何，一日，忽見一鳥飛從西方來，止于西隅，叫號三、五聲，乃吐瓜核六、七個，落于沙中，前甲叢生，延蔓茂盛，結成菓實，綿綿繁夥。安暹喜曰：「此非怪物，天所以養我也。」遂割而食之，其味馨清，多年種之，食不能盡。以易米穀，給養嬰兒，然不知其爲何菓，以其啣自西方來，故曰西瓜。漁釣商賈之客，共悅其味；遠行村巷之民，喜得其種。

後王思之，使人就問其存沒。其人以事歸報于王，王嘆息良久曰：「彼謂前身之物，誠不虛矣。」乃召還，復其職。賜以奴婢，乃名其所居洲曰沙洲，村曰枚村。或推安暹曰西瓜父母。今為西瓜祖妣，而取之以祭其所居，今清化道洲中府峩山縣安暹洲。

李翁仲傳　安陽王時

翁仲姓李名身字翁仲慈廉縣人也。身長二丈三尺。驍悍殺人，罪應至死。時屬雄王季世，王愛不忍誅。

至安陽王時，秦加兵我國。安陽乃以李貢，始皇得之甚喜，（外史記：少時鄉邑供役，為長官所笞，遂入仕秦。別傳云：少舉孝廉於秦。）用之，仕至司隸校尉。始皇併天下，使將兵守臨洮聲振匈奴，不敢犯塞。封為輔信侯，且命歸國（外記云：以老歸田里，卒。）後匈奴犯塞，始皇復思之，遣人來召。時李已沒。始皇嘆惜，鑄銅為像，號翁仲，置咸陽宮司馬門外。腹中容數十人，皆搖動之，匈奴以為生校尉，不敢犯之。

按別傳云：「匈奴再犯，秦使索李。李不肯行，竄入林澤，始皇責之。安陽尋之不得，詐云已死。秦曰：『何由而死？』王以吐瀉對。秦遣使驗之，遂烙粥攪其地中，以實迹。始皇命以屍來，李不得已，乃自殯。以水銀塗其屍，送納于秦。始皇以為異，乃鑄銅為像。

至唐趙昌為交州都護，夜夢見與翁仲講春秋、左傳。因訪故宅，立祠祭之。迨高駢破南詔，顯靈助順。駢重修祠宇，雕木立像，號李校尉祠。今為上等神，祠在永康，今慈廉縣永瑞芳社大江邊。去京城西十五里。一在黃含社。仲春祭焉。

金龜傳

安陽王時

安陽王築城於越裳氏，城築隨崩。王患之，乃立場齋戒，禱于天地神祇。春三月初七日，忽見老人從東方〔來〕，至城門。王喜，迎入殿上，拜禮，問曰：「築立此城，旣成復崩，徒損功力而不能成何也？」曰：「他日待清江使來，王與同築乃成。」言訖，悠然辭去。

後日，王復立于東門，望之，忽見金龜從東方來，立于水上，解爲人語，自稱清江使，明知陰陽天地鬼神之事。王喜曰：「此老人所以告我也。」遂命爲金盤，迎入城門中，延坐殿上，問以築城不就之故。金龜曰：「此地山川精氣，有千年白鷄化爲妖精，隱至七曜山。山中有鬼，乃前代樂工死葬於此，能化爲鬼。傍有一館，以宿人往來。館主悟空，有一女子，白雞一隻，是鬼神之餘氣，害人之來宿甚多。今白雄鷄聚館主之女，殺鷄以滅鬼精，彼必聚陽氣爲妖，化爲鵂鶹，啣書飛來旃檀之樹，奏于上帝，乞壞其城。臣喫鵂足，墜書王速收之，則城可就。」

王遂與金龜托爲路人，寓宿館中，置金龜子門楣上。悟空曰：「此館有妖精，夜常殺人。今日已暮，郎君貴人，速去勿宿。」王笑曰：「死生有命，鬼魅何能爲？吾不足畏也。」乃留宿焉。

夜間，聞鬼呼曰：「開天門！」金龜叱之曰：「閉地戶！」鬼放火，變現千形萬狀，詭異多方，以驚怖之，終不得入。鷄鳴遂散。明日，館主見王不死，趨拜曰：「郎君必聖人也。」乞求靈術，以救其民。王曰：「殺爾白雞而祭，則鬼精散。」悟空即殺白鷄，而其女亦死。即令人掘山，果得古樂器及其骸骨，燒散爲灰，投於江流。日將晚，王與金龜登越裳山，見鬼精化爲鵂，御書登旃檀之上。金龜郎化爲鼠，從嚙鵶足，書墜于地。王走收之，其書蛙食已盡，壹已過半。鬼精遂滅。

自此築城不過半月而就，即今螺城。金龜居三年，辭歸。王感謝曰：「荷君之恩，其城已固。如有外禦，何以當之？」金龜曰：「國祚盛衰，天之運也。人能修德，可以延之。王如所願，何愛惜焉？」乃脫其爪，授王曰：「用此爲弩機，向敵發箭，則無憂矣。」言訖，遂歸東海。王親送之。乃命其臣高魯爲弩，以爪爲機，名曰靈爪神機弩。後屢破秦趙陀兵。

陀駐于鄒山，與王對壘，以王有神機，不敢交戰。乃求割地通和，使其子仲始入質求婚。王不意，許之。仲始誘其妻窺觀神弩，潛易其機。遂詐爲省父。謂媚娘曰：「夫婦之情，不能相忘；父母之息，寧可偏廢。吾且歸省，萬一兩國失和，北南隔別，我來相尋，何爲表我？」媚娘曰：「妾爲兒女，遇此暌離，情難勝矣。妾有鵝毛錦褥，常附於身，到處拔毛，其後，以示所在。」

仲始歸告陀。陀大喜，發兵南侵。王恃神弩，圍棊自若。及陀軍逼近，王舉神弩，而機已失，兵遂潰走。坐媚珠於馬後，與王南奔。仲始認鵝毛追之，王至海濱，途窮呼曰：「天喪予！江使何在？速來救之！」金龜湧出水上，叱曰：「乘馬後者，賊也。亟殺之！」王拔劍斬之，媚珠祝曰：「妾爲女子，有逆叛之心，害其君父，死爲微塵，若忠信一節，爲人所欺，則化爲珠玉，雪此仇恥。」遂死于海濱，血流水上，蚌蛤吸之，化爲明珠。〔王〕持七寸文犀，金龜開水，引王入海。世傳演洲高舍夜山，即其處也。仲始抱媚娘屍歸葬螺城，化爲玉石。仲始痛惜不已，於沐浴處，想見媚珠身體，遂投井死。後人謂東海明珠，以井水洗之，色愈明潔。後因媚珠名，故呼明珠爲大廷、小廷。

高將軍傳 安陽王時

將軍名魯，武寧人，安陽大將。王得金龜爪，命魯作弩，命曰靈光神機弩。所向賊不敢近，屢有大功，後被貉侯潛去。至高駢平南詔，兵還過武寧州，至步頭。夜夢見異人，面貌凌繒，椎髻赤裩，來前。自言姓名，曰：「昔輔安陽王，有却敵大功。被貉侯潛去。死後，先帝憐其無過，而一心忠赤，命賜一帶山河，管領都統將軍。凡征伐盜賊，稼穡時務，皆主之。今既從明公討平逆賊，寰宇泰和，復還本郡，若不告謝，非禮也。」駢怪，問貉侯何事相疾。曰：「雞陰之事，不可令洩。」駢又請，答曰：「安陽即金雞之精；貉侯乃白猿之精。雞猿相合，與龍相尅，故爾。」言訖，騰空而去。駢夢覺，心記丁寧，以語僚屬，喜自吟詩曰：「美矣交地，悠悠千載來；古賢能得見，終不負靈臺。」又吟曰：「百粵奠區宇，戎定山河；神靈能助我，唐家景祚延。」從者皆表賀。駢曰：「南越山河固，唐家人物新；高王高意氣，動靜有龍神。」又曰：「南越山河壯，神龍觸處驚；交人休蹙額，今又見昇平。」駢乃加封美號，即今大灘都嚕石神。香火赫然。武寧即今嘉定，祠有石窟。世傳大灘江是龍王掘作，能勃動。行船，先告于祠者無患。陳封果毅剛正惠威正神大王。俗曰都嚕祠。一在嘉定大灘江；一在唐安縣福球社壯烈村。

崔御史傳 安陽時，卽舊越國傳

崔亮者，我國人，仕秦爲御史大夫，偉乃其子也。

初，雄王之世，殷王兵敗，爲董天王所破，死于鄒山下，爲地府君。人民祠奉焉，歲久寢衰，祠廢廟壞。亮時常過于此，見遂興悲，重修廟宇，因題詩于廟柱云：「古人傳道是殷王，巡狩當年到此方；水秀山奇空見廟，精升迹在尙聞香。一朝戰敗無殷地；千載威靈鎭越裳；百姓從茲皆奉事，點扶國祚永無疆。」及任囂、趙陀將兵南侵，駐軍山下，因而重修廟宇，嚴加奉祀。神於是感亮之德，使麻姑仙出境尋之。時亮已沒，惟子偉在。時着正月上元節，遊在此祠，有獻玻璃瓶一雙。麻姑仙以手持玩，忽墜地破缺。麻姑身衣弊衣，人不知其爲仙，遂痛打追償。偉憐之，解衣與償。麻姑得免，因問偉所在，具道父由。麻姑始知其爲亮子，喜謂偉曰：「今吾無以報，有艾一束，持授與君，君宜謹守此物，後即大富貴矣。此物不可離身。」

人有瘻疾，偉請以治之，乃以艾灸，其瘻自消，應玄曰：「仙術也。無以爲報，願以一事報之。我有親戚貴人，亦有此疾，嘗言如有能療治，則分家財與之，不吝。請君治之，因以爲報。」玄遂引入任囂家灸之。瘻即消矣。囂甚喜，養以爲子，而寵愛之。爲立學館，偉性聰明，好讀書鼓琴，任芳容見而悅之，因與偉通，情義眷戀。囂子任夫知之，時年終祭猖狂神，未得其人。任夫意欲以偉終祭之。乃諭偉入公廳房，鎖其門不得出。芳容知之，潛以刀與偉，令鑿壁而出。

暮夜暗行，欲就應玄家。奔過山上，不知山上有穴，忽墜于山穴中，二更始到穴底。偉痛臥一刻，方起坐。日出至午，透照穴中，四顧皆石壁，無階可升。其上有一塊石乳，流於石盤。有白蛇，長百丈餘，黃觜、赤口、青鬣、白鱗，頸下有肉瘻，額有白字曰：白赤帝。蛇出食石乳，再入叢中。三日，偉在穴中，饑甚，盜食石乳。後蛇復出，見石乳盤空，遂舉首見偉，開口欲呑之。偉驚恐跪拜，曰：「臣避難墮此，無以充饑，盜食王物，誠爲有罪。今王頸有瘻，臣有三年艾，願寬臣罪，以盡小技。」蛇爲不呑，仰首求矣。忽見火燒山上，飛下一片，墜于穴中。偉取艾灸之，蛇乃彎身向偉前，意欲與偉騎其背。偉乃上騎，蛇乃將偉登穴上。當二更時，至岸上，不見人行，蛇搖尾，使偉下于地，蛇復入穴中。

偉行迷路，恍見城門高濶，上有高樓，赤瓦玲瓏，燈光照耀。門掛赤扁，題曰：「殿王城。」偉坐門傍，望見城中有池，池中有五色蓮花。上有槐椰數行，街磚平坦，珠樓廊廡宏蔽。地上有金龜床，鋪以花席，有琴瑟置焉。寂不見人。偉徐徐來前，試抱琴瑟，良久，俄見金童玉女數百餘人，自殿後出。偉大驚，殿后出，偉走下殿庭拜伏。后笑曰：「崔君何在？」接引上殿，命坐。謂曰：「殿王陣亡于此，年久祠庭，無人奉祀，賴崔御史重修祠宇，奉事如前。世人效之，至今不絕。故命麻姑❶……，不見崔君，得見公子，無以為報。今過于斯，一見而覩，然上帝有勅，王已朝天不在，公子姑在此。」乃賜以酒食醉飽，食罷。忽見一人長鬚大腹，奉表來前，跪奏曰：「正月十三日，北人任囂被猖狂神所殺。」奏畢，后乃命羊官人送偉歸陽世。羊官令偉瞑目坐於肩上，一刻日已到山上。羊官化為石羊，立山中，今鄒山陽。

偉歸到家，與應玄具道事由。八月當斜陽時，偉與友從遊，遇麻姑仙歸，將女龍燧及珠寶賜偉，結為夫婦。時屢經秦火，珠玉玳瑁皆已消盡，惟麻姑所遺龍燧珠玉尚在。商賈望見南方珠氣沖天，知其為龍燧珠玉，遠來求索。是珠也，開闢以來已有雌雄二雙。黃帝得之傳歷至殿。（一云：雄王有十二寶以貢黃帝，傳至殿王。）殿王來侵，帶之而死，埋藏於地。至是以賜偉。其色光彩照膜，商人以金銀緞匹，價五萬錢以買，偉以是大富貴矣。後麻姑迎去，不知所之。今穴猶在鄒山，俗曰越井國，而井已荒涼。

【校勘記】

❶按「麻姑」二字下疑有脫文。

蠻娘傳 壬王紀

漢獻帝時，太守士燮城于西平之地，（今天德江）南有佛寺曰福嚴寺，（一云：超類縣大寺社郛橋。）有胡僧自西方來，號曰闍梨。能立獨腳之法，人多效慕之，呼爲尊師。時有女名曰蠻娘，父母俱亡，貧苦日甚，篤求佛道。訥於言語，住持此寺，不能與徒誦經，常居厨灶，搗米採薪，親自炊爨，以供一寺之僧及四方之來學者。

五月間夜促短，僧徒誦經到鷄鳴，蠻娘供給，僧徒誦經未行食粥，蠻娘假寐閨門中，不意忘飢熟睡。僧徒誦罷，各歸寺房。蠻娘當臥，闍梨僧來過娘身，娘欣然心動，胞裡受胎。三、四月間，娘有慚色而歸，闍梨亦羞而去。

至三岐路江頭寺居之，蠻娘滿月生一女，尋僧而還之。夜間，僧將其女至三岐路江頭榕樹，付曰：「我寄此佛子，與爾藏之，各成佛道。」闍梨與蠻娘相辭而去，因與蠻娘一杖，曰：「我賜此於汝，如見歲辰大旱，汝以杖卓地上，出水，農夫賴之，以濟生民。」娘敬受而還居本寺。

遇歲旱時，卓杖地上，自然出水，民多賴之。時蠻娘年五十歲，適榕樹摧倒，流到寺前江津，盤旋不去，民相競斬爲柴，斧斤多爲破折，乃相率鄉里三百餘人曳之上岸，其樹不動。會娘下津洗手，戲撐之，樹遂轉移。衆皆驚恐，使娘曳之上岸，令匠作佛像。其樹中乃三岐所藏女處之樹，已化成石，甚堅。匠人斫之，斧斤盡缺。匠人投石于淵中，有光芒，頃刻餘始沉，匠人皆死。請娘拜禮，令漁人入水取之，迎入佛寺殿，將貼金，闍婆呼爲：法雲、法雨、法雷、法電。四方祈禱，無不靈應，呼蠻娘爲佛母。四月初八日，娘無病而沒，葬于寺中。民以爲佛母。每年是月日，四方男女常聚此寺，遊戲歌舞，世傳爲浴佛會云。技樂百端，以成俗，至今猶存焉。

張將軍傳 趙越王紀

將軍其兄名叫，弟名倡，皆爲趙越王名將。從征逆賊，以有天下。及王爲李南帝所滅，南帝召欲官之，二張曰：「忠臣不事害主之賊。」隱于扶蘭山中。後李南帝購其首千金。二張義不屈，飲藥而死。

後吳王時，討李昉於扶蘭江口，王夜見兩個異人，曰：「逆賊猖狂久矣，請從王師平之。」王曰：「汝爲何等人？朕未嘗識面。」二人俱稱姓名貫址。曰：「臣等昔爲趙越王將，仗義而死，上帝憫之，勅補灘河龍君副，巡諒、武二江，名爲神部將官，統領鬼兵。向者白藤之捷，臣等皆助之。」王寤，奠酒約曰：「能克敵兵，立祠分封。」乃封其兄爲大當江都護國神王，祠在如月江口。其弟爲小當江都護國神王，祠在南介平江口。

及黎大行天福年間，宋兵南侵，帝復夢二人報現如前，自稱姓名，今宋人入境，爲國家生靈之苦，臣等願與焉。帝覺而祝曰：「能共成功業，則褒封血食無窮，世世勿絕。」仍宰牲致祭，焚衣冠財物象馬。是夜，夢見二人共着前所賜衣冠拜謝。一人領白衣鬼部，自平江口而南；一人領赤衣鬼部，從如月江而北，共向敵營。十二月十三日，夜三更，天氣昏黑，暴風疾雨大作，宋兵驚潰，官軍因破平之。大行追封，一日威敵大王，立祠于龍眼平江三岐路，使平江之人奉事之一日禦敵大王，立祠于如月江，使如月之人奉祀之，血食無窮焉。

李仁宗朝，宋兵復來侵，帝命太尉李常傑領兵逆舉。至如月江，築柵固守。一夜，士卒忽於張將軍祠中齊聲吟曰：「南國山河南帝居，截然分定是天書；如何逆虜來侵犯，爾等行看取敗虛。」既而，果破宋兵，死者千餘人，其靈應不絕如此。

李將軍傳 南帝紀

將軍名服蠻，古所人也。身長八尺，體貌豐碩，仕南帝爲大將軍。忠烈有名，守杜洞、唐安二帶山河，夷獠不敢犯，一方案堵。

李太祖順天間，帝望拜諸名山，省覽山川，至古所步頭，望江山秀氣，心動神感，以酒洒地曰：「朕觀此方，山奇水秀，苟有人傑地靈，受吾明享。」是夜，夢見異人再拜曰：「臣本鄉人，姓李名服蠻，佐南帝。以忠烈知名，沒後上帝嘉其忠直，勅許守職如故。故凡夷虜入寇，皆捍焉。唐高宗時，臣率鬼兵，從軍破長眞賊于夾口，肅尊時，從張順破大介于石河中口；代尊（宗）時，從高駢大破周娑于朱鳶。又從高駢平南詔，前吳王時，從破漢兵，黎大行時，破宋兵，臣皆預焉。從陛下破占城于硤石鎭。今幸遇陛下，得伸忠款。」既而從容言曰：「天下遭蒙昧，忠臣顯姓名；中天明日月，孰不見其形。」帝覺，以語御史大夫梁任文，對曰：「此神意，欲顯立祠廟，塑繪像形之言。」命置環玫果約，乃睿州人。設像立祠，一如夢時，所見，歲時祀焉。自此，賊至古所，村邑晏然，賊不敢犯。

陳元豐間，韃靼入寇，馬蹶不進，村人率衆拒戰，斬虜百首，賊大走散。重興復入寇，所到皆焚傷屋廬，而是邑如有防護，秋毫無犯，逆賊悉平，如其所言。及賊平，再封澄安公，加封顯應佑國大王。祠在裴耕古所步頭，即今丹鳳安所祠。

白鶴江神傳

唐朝紀

白鶴江神灝氣也。唐高尊永徽中，李常明爲峯州都護，見其地千里，襟山帶河，乃於白鶴江處，建立道聖靈觀，乃置三清像法，奉事以奇偉焉。又別開爲前後兩殿，擬塑護現神像，未辨孰是。乃焚香祝曰：「此間土祇，苟有能顯靈應者，急早現其形狀，得憑塑像，吾仍望其形像，以居前殿。」是夜三更，夜夢見有兩異人，面貌雄偉，豐姿潤雅，並擁其徒，相呵相吸，趨向常明，爭居前殿。常明問曰：「公等，姓爲誰？宜各自陳，得便貼奉。」於是兩人各稱姓名，一是石鄉；一是土令。常明試較技藝，孰勝居前，於是應聲跳步，纔到江邊，已見土令先在，住於江側。常明夢覺，審其形狀，命工塑像，土令居前殿，其神威顯赫，州人敬畏，奉事香火，爲三江之福神。凡征伐所禱，無不應驗。陳封爲忠翊武烈輔國顯威大王。時學士阮國固扈駕征哀牢，拜謁詩曰：「寶護符印掛腰間，茲事希奇付將官；薄劣書生無望處，祇來祠宇乞平安。」又學士王務成扈從凱還，命贊詩曰：「貔貅十萬赫王靈，勢壓雲南塞外城；江左區區何是氣，風聲鶴淚(唳)振秦兵。」其祠今白鶴江三岐處。

又白鶴江中，有一段數十丈，產鸚鵡魚。秋冬間，人拋網取之。其上下並無所有，其魚亦類鯉鮀，味極佳美。鱠炙尤宜，味供上品。其所得者，用奉進御，其民不得賣買，例有嚴禁，其貴重有如此者。有歌云：「滄灣波暖遊鸚鵡。」

蘇瀝江神傳

我國人也，姓蘇名瀝。初爲龍肚令，居江水側，三世仁讓同居。晉時舉孝廉，表旌其門閭，因以蘇瀝爲村焉。唐穆宗時，李元嘉爲都護，治龍編，以城北門上有逆水，恐人多生叛心，因將擇地，移築羅城，復治於蘇瀝江。因酌酒請命爲主，立祠奉之。夜夢見告元嘉曰：「忝使君命某主城，苟能道教民中居民，並合忠孝，立祠事之。」元嘉許諾。自是民無叛意，乃築小城居之，立祠奉事，即是邦大王之神也。元嘉方築此城，有相者言曰：「君力不足大城，五十年，後必有高者於是定都建府。」

及唐懿宗咸通中，南詔叛亂，唐遣高駢擊平之。置靜海軍，以駢爲節度使。遂據我府稱王。駢通天文地理，相地形勢，築城于瀘江之西，周八千步，以居駐焉。北江從瀘江入西北，流過其江，南迴抱羅城，末流復入大江。

六月，雨水漲溢。駢乘順流，忽見一老人，鬚眉盡白，容貌奇偉，游浴于江中，笑語欣然。駢怪而問其姓名，曰：「我姓蘇名瀝。」復問其家何在？曰：「在此江中。」言訖，拍手晦冥，忽然不見，駢知其爲神人，遂名此江曰蘇瀝江。

又一日早，駢出于羅城之東南門瀘江之畔。望見江中大風自起，波濤洶湧，雲霧昏噎。有異人立于水上，高二丈餘，身着黃衣，頭戴紫冠，火金符，手執金簡，空中光照，或升或降，乍有乍無。日上三竿，雲氣未散，其形尚在。駢尤驚異，欲壓之。夜夢神人來告曰：「我是龍肚之精，靈地之長，在此久矣。喜君在此，故來見之。何憂於壓？」駢大驚。

即日祈禱築壇，設以金銀銅鐵爲符呪，三晝夜，埋符壓之。是夜，雷轟震烈，風雨大作，天地昏暗，其神咆哮，驚動天地。頃刻間，金銀銅鐵諸符盡出地上，化成灰燼，飛去空中，散盡。駢尤驚異，嘆曰：「此處有靈異之神，我當北歸，勿復久留，以取後禍。」於是駢有北歸之心矣，遂奠享拜爲都府城隍神君。

後懿宗召駢還，駢果被誅，以鄭代之。後李太祖遷都，托夢拜賀。王怪，問之，具示姓名。帝曰：「若能保百年生靈乎？」應曰：「但願聖上綿綿億千萬載之靈長，臣享千百年之香火。」上寤，命中使奠酒，封爲都國城隍大王。陳朝封爲保國定邦大王。祠在壽昌縣東作坊。

龍肚正氣神傳

唐高駢來鎭我國，據府稱王，增築羅城方畢。一日晡時，遊觀城東門外。倏然雲雨大作，見五色雲，從地湧出，光芒奪目。彩衣異人，粉飾奇偉，駕黃赤虬，手執金簡，隨煙盤旋。鬱葱之氣，升降上下，良久始消。駢異之，意謂鬼魅，欲設壇以禳之。是夜，夢神人謂駢曰：「願公莫生疑心，吾非妖氣，乃龍肚正氣神也。喜見新城，而現觀耳。」駢覺悟。明日會議，嘆曰：「吾不能服遠人耶？何至外鬼，覘之不祥。」或者欲立壇，設彼形像，以千斤鐵爲壓捲符。駢聽其計，呪誦。後日夜，忽然天地晦冥，風雷噉烈，碎鐵化爲飛空。駢恐，遂有北歸之心矣。人以爲異，乃立祠于東京之畔。

後李太祖遷都于此，定立城府，復夢神人來賀，帝曰：「爾能保百年之香火乎？」對曰：

「但願陛下綿綿億萬載之，聖壽，臣何啻百年之香火。」上悟。命以牲禮奠祭，封為昇龍城隍大王。

時開東門為貿易場，神祠牽延長街。常有火災，暴風延燒，惟神祠所在，纖毫無及。上加封，享迎春祭祀之禮，率在於此。陳朝三度火災，未嘗延及。太師陳光啓題詩曰：「昔聞赫濯大王靈，今日方知鬼膽驚；火馬三燒還不及，風雷一陣亦難傾。指揮殫壓諸邪衆，呼吸消除百萬兵；願仗神威摧北寇，頓令寰宇晏然清。」陳朝封為順裕孚應大王。祠在壽昌縣河口坊今呼為白馬神。

法師除木精傳

丁先皇紀

法師文俞先皇時北國人也。操行修潔，年四十餘，歷遊諸國，通諸蠻語，習得金牙銅齒，年八十餘，遂到我國。先皇以師事之，教以愚猖狂神之術，而殺絕之。

先是峯州之地，上古有檀樹甚大，高千丈餘，枝葉蔽帶，不知其幾千里，有鶴來巢其上，故名其地為白鶴。其樹不知其幾千里，久經遂朽死，化為妖精，能生殺人物。今日在此，明日在彼，變化不測。（一云：勇猛有力，多為民害。涇陽王以神術勝之，妖氣相屬，然猶出此入彼，難以測量，人甚畏之。）常食生人，民乃立祠而禱焉。每歲十二月三十日薦以生人，民始安居，呼為猖狂神。西南界近獮猴國，國王命婆路蠻奪取山獠子納之以禱，歲以為常，無能改易。

至任囂為龍川令，欲革其弊，無生人以祭，妖遂殺囂而食。自此，事之尤謹，無敢有缺。至是，文俞始教以絕殺之術。其法技有名曰尚騎、尚竿、尚韃、尚隆、尚碎、尚鈎。每年十一月，造飛雲橋，高二十丈，以木樹立其中，以麻為大索，長二百三十六丈，徑三寸，以藤削纖織其外，索兩頭縛埋於地，索加於樹中。尙騎滕踏其上，疾行三、四度，往來不墜。頭戴黑巾，身着黑裙。尙竿索長三百五十丈，相遇於三岐處，相避升降不墜。或爲尙鞋，以大木上高七十尺三寸，尙韃在木竿上跳踏二三度，進退不顚。或爲尙碎，以竹織細籠，形如魚笱，長三尺，圓四尺，尙碎投身其中，自立不倒。或爲尙鈎，拍手踴躍，呼喝咆哮，轉手轉足，拊胸拊髀，進退高下。或爲騎馬奔走，垂身取物於地下而不落。或爲尙隆，尙竿自仰臥，以足承竿，令小兒緣升而不倒。或爲喝兒，鉦鼓歌舞，譟亂喧譁，宰牲以祭之。妖精來食，見而覘之，法師持秘呪以劍斬之，猖狂及種落盡走死。於是除之，免歲薦之例，無復作妖怪以害人，民得全活。

徐道行禪師傳

李仁宗時

佛跡山天福寺禪師，姓徐名路字道行。初，父榮仕李朝，至僧官都察。昔曾遊安朗社，因家焉。娶曾氏女，生路。路少事遊俠，倜儻有大志，舉動云爲，人莫能測。常與儒者費士、道士黎全相友善。夜則刻苦讀書，日則弄笛、擊鼓、賭博爲樂。父常責其怠荒。一夜，潛入臥內，伺見燈香烟殘，簡編堆積，路方據案而睡，手不釋卷。自是不復爲慮，後應僧官試中白蓮科。

未幾，父以邪術誤延成侯，侯藉大顚法師以毆殺，投蘇瀝江。屍流安決橋，至侯家，忽然立而指，竟日不去。侯復馳告大顚，大顚至，喝云：「僧（憎）恨不隔宿，死生一場夢。」其屍應聲流去。

路思復父讐，計無從出。一日，伺大顚出，欲邀擊之。俄聞空中叱云：「止！止！」路懼，舍杖而還。仍於佛迹山岩內結金蓮舍，以受正教。日常專持大悲、心經、陀羅尼呪，滿萬八千遍。

一日，見神人來，謂曰：「弟子即回鎭天王也，感師持經功德，故來助，相俟以備指使。」路見道法已圓，父讎可復，至于安決步頭，持杖投江中，杖水逆流，化龍，行至西陽橋乃止。路喜曰：「吾能勝顚矣。」於是作藏形法，直至顚所，謂曰：「汝記前日事乎？」顚仰視室中，宛無所覩，因杖擊之，顚病死。

自是宿怨雪盡，俗慮灰寒，遍歷叢林，訪求印證。聞橋智玄精於天下化道，躬往參謁，且問其心。偈云：「久混塵風未伐金，不知何處是眞心？欲求指的開方便，了見如塵斷苦尋。」玄答偈云：「五音秘訣演眞金，個邦滿目露禪心；河沙竟是菩提道，擬向菩提滿萬尋。」路茫然不知，遂之法範宋雲會下，問之曰：「如何是眞心？」範曰：「何那個不是眞心？」路豁然自得，又問：「如何保白？」範曰：「饑食渴飲。」路拜辭而去。自是法力愈加，禪緣愈篤。山蛇野獸，羣來馴擾，燃紙禱霖，呪水治病，無不應驗。有僧問：「行住坐臥，盡是佛心？」路示偈云：「陀有沙塵有，爲空一切空；有空如月水，忽着有空空。」又云：「明月出岩頭，人人生寶珠；商人子有駒，子行不騎駒。」

時仁宗無嗣，會祥大慶年三月，清華府人上云：「海濱沙洲有靈異童子，三歲解語，稱皇帝子，號爲覺皇（大顚化生。）陛下所爲，無不知之。帝遣中使往視，果如其言。迎還京師。居報天寺。帝以其聰明靈異，頗愛之。欲養以爲子，群臣切諫，以爲不可。且曰：「彼實靈異，必宜托生宮禁，然後可也。」帝從之。遂設大會七日夜，行托胎法。路聞之，私謂其娣曰：「此必大顚圖消怨府之計耳！彼以妖邪，惑人久矣。吾忍坐視不救，以簧惑群心，蠱惑正法耶？」因使娣佯爲觀會人，密持法師結印數株（珠），挿於簷上，會至三日，覺皇攖病，語人曰：「遍滿世界，鐵網羅罩，托生無由得也。」言訖而亡。

帝命求之，果得結印，有路之名。帝疑解呪，杖繫于興慶樓，會群臣議。崇盛侯適遇路於道，路哀訴曰：「願垂憐憫，以救貧僧，異日寓托胎宮，以謝其惠。」侯頷之。全侯曰：「陛下以未嗣，故許彼託生，而路妄自解呪，宜加大戮，以謝天下。」盛侯奏曰：「覺皇設有神力，雖有路解呪，亦何害？今反如此，是路出覺皇遠矣。臣愚以爲與其罪路，莫若賜之托生，願帝原之。」路出，反謁侯第，遂入夫人浴處，逼而觀之，夫人大怒。忽於盆中見一小兒，懼而告侯。侯素知其意，不詰焉。夫人於是有娠，路囑侯曰：「臨誕之時，必先相告。」及期，夫人產難，追念其言，使人馳報。（史謂道行見盛侯眞子，與語祈嗣，道行因之祈于山神。）路見報至，澡身易服，謂其徒曰：「吾宿願未了，且復托生，暫爲帝子。於壽終時，又爲二十三子，若見其身殞敗，則我沉于深海，不復生滅矣。」其徒聞之，無不感泣。路說偈曰：「秋來不報鴈南歸，冷笑人間暫發悲；爲報門人休戀著，古師幾度作今師。」言訖，儼然而化。鄉人以爲異，納屍龕中，歲時奉祀。其崇侯令人候信，午時道行入寂，未時夫人誕生，叫名陽煥。時會祥大慶七年，歲在戊申夏六月日。陽煥年甫二歲，生而聰敏，帝深愛之。帝以春秋已高，而無嗣息，乃育于宮中，立爲皇太子。及帝崩，陽煥即位，是爲神宗。其道行屍今在國威府安山縣佛迹山天福寺，岩中竄跡，其形至今猶存。

初，道行來遊時，見洞中素有人跡石跡，以足印之符合，世傳屍解，是其處。每年三月初七日，士女會其寺，爲一方勝遊。後人訛傳，以爲僧忌日，其屍至明末，明人入寇，兵火之間，爲其所焚，鄉人再塑像事之如初。

阮明空禪師傳

李仁宗神宗時

明空長安大黃潭舍人也，姓阮名至誠，少遊學道，遇道行，服膺從侍，四十餘年。道行嘉其志，予以印節，且賜以名號明空禪師。居玉清寺。

仁宗會祥大慶中，道行將謝世時，謂明空曰：「昔我世尊道果圓成，尚有金鎖之報，況道法么微，我今在世間，居人主位，來生疾債，決定難逃，於我有緣，爲應相救。」道行已化，隻履而歸。明空遂還故鄉，耕字授持。二十餘年，不求聞達。

大順四年，帝爲起第，神宗天彰寶嗣四年，帝忽攖奇疾，病篤。醫治不效，煩亂心神。痛憤之聲，䖘𧇾可畏。世傳帝時爲虎。天下良醫，應詔而至以千萬計，不能措手。時有小童謠云：「欲治天子疾，須得阮明空。」遣使搜求，以色訪之。

空見使者至，即以飯一小堝，與船中掉卒同食，使者弟子衆多，恐不能飽。明空曰：「姑食之。」由是掉卒凡數百人，食不能盡。食罷，謂掉卒曰：「爾等且暫睡息，待潮漲始行。」掉卒從之，皆於船中熟睡。纔頃刻間，已到京師。掉卒驚異。

明空至，時方士衆多，皆宿在殿上，各行方法，見明空至，鄙賤樸陋，意甚輕之。明空即把大釘長五、六寸許，釘于大殿柱上。遂抗聲曰：「有能拔出此釘，方能療疾，則先當推讓之。」如是者再三，莫有能動之者。明空乃於（以）左手兩指拔之，釘便墜出。衆皆驚服。

及至上前，明空厲聲曰：「大丈夫貴爲天子，富有四海，胡乃此狂亂爲？」帝大驚慄。明空使取巨鑊貯水與藥熖之，既而百沸，以手擾亂，凡數四遍，洒浴帝身，其疾遂瘉。（史記：道行將尸解時，以藥呪付明空，曰：後二十年，國王有奇疾，卽以此治之。）上乃拜爲國師，錫戶數百，以褒賞。至英宗大定二年而卒。年七十六。能靈顯應驗，水旱災傷皆禱之。今膠水、普賴等寺，皆有塑像奉事。國朝先正鄧脫軒先生詠詩曰：「趙宋宮中育孝皇，太平天子運重昌；中年不幸遭奇疾，賴有明空藥味良。」蓋亦贊美其有神焉。

按：道行、明空二禪師，其事迹略見史鑑。但神宗生，史謂其祈於山神，此則謂其道行托生。史又謂道行尸解，夫人尋生，則未必祈于山神焉。及明空療疾，史謂道行病中藥付以囑，此則道行知其疾債難逃，囑以相救，事頗相異，傳聞言考之。又按此二傳與下二傳各合爲一。今以禪師四公傳，仍別爲四公傳錄，以明其始終焉。

楊孔路禪師傳

李仁宗時

海清嚴光寺孔路禪師者，姓楊，海清人也。世業于漁釣，乃捨其業而僧焉。居常加陀羅經。李聖尊（宗）彰德嘉慶中，與阮覺禪師爲友，至荷澤寺棲焉。草衣木食，殆忘其身。外絕馳鶩，內修禪定，心神耳目，自覺爽然。便能飛空履地，伏虎降龍，萬怪千奇，人莫之測。頗得大鑑眞印，有時稱爲羽客，有時號作毛仙。覺兒率尼珠之報，尋於本郡創寺以居，號孔路焉。

一日，有侍者啓云：「某自到來，未蒙指決心要。敢呈偈云：『鍛鍊心身始得清，森森直幹對虛庭；有人來問空王法，身坐屛邊影集形。』」師覺之曰：「汝往山來，吾爲汝接，汝從水來，吾爲汝受，何處不與汝心要。」乃呵呵大笑。常說偈云：「擇得龍蛇地可居，野情終日樂無餘；有時直上孤峯嶺，嘯嘯長聲一太虛。」

仁宗會祥大慶十年乙亥六月初三日歸寂。門人收舍利，葬於寺前。詔廣修其寺，錙戶二千餘人，以奉香火。世傳橫江海外有石壁遮障，形如魚梁，皆禪師之魚梁舊跡。

阮覺海禪師傳　李仁宗、神宗時

覺海，海清人。姓阮，居福建寺。幼慕漁釣，嘗以漁船爲家，浮游江海。年二十五，遂捨其業，落髮爲僧。李聖宗彰德嘉慶中，與孔路禪師爲友，俱居荷澤寺。尋爲孔路法嗣，後復居于本鄉延福寺。逍遙獨樂，不求于人。寺中所有，隨時取用，以爲伊蒲之具。

上嘗召師與玄通眞人入蓮甍院侍坐。忽聞蚌蚧對鳴，聒耳可惡。帝命玄通默呪，先墜其一。帝笑謂師曰：「尙留之一，與沙師呪。」少頃，一亦隨墜。上喜贊曰：「覺海心如海，玄通道又玄。神通能變化，一佛一神仙。」由是聲馳天下，僧徒傾向。王以師禮待之，每駕幸海清行營，先詣其寺。

一日謂師曰：「膺眞神仙，是可得聞乎？」師乃作詩八變誦，踴身虛空，去地五丈，俄而復下。帝與群臣皆合掌讚嘆。於是賜肩輿出入殿閣。

逮神宗朝，累召赴京，辭以老疾。有僧問師曰：「佛與衆生，誰賓誰主？」師喝云：「千覺汝頭白，報你來相識；若聞僧境界，龍門遭點額。」將告寂後，示衆偈云：「春來花蝶便知時，花蝶應頃便應期；花蝶本來皆是幻，莫將花蝶向心持。」夜於有火星殞於太室東南陽（隅）。語（詰）曰（旦），端坐而逝。詔錙戶二千人以奉香火，以褒之。

乾海門神傳

陳英宗時

乾海門神四位夫人，姓趙氏，南宋公主母子三人。夫人，季女也。宋爲元人所滅，宋帝及官民沉于海，溺者十萬餘人。夫人母子接得船飄，到海岸，饑渴無聊，寺僧見其可憫，爲之保養。居數月，譏體復完。容儀特異，僧欲遽至。夜間求通，乃於海外投身而死。曰：「吾何以生爲？」其母子相投于海，夫人娣妹拂珠淚，亦隨溺水。僵屍飄蕩，至我越演州之乾海門棲泊岸邊。土人見其身體並無傷損，皆驚異曰：「自彼疆至于我土，海道險要，不知其幾千里？而衣服容貌，宛然如生，眞神人也。」於是相率封窆、立洞，以奉事之。

陳英宗二十年間，帝親征占城，至斧海門駐營，夜夢神女泣曰：「妾趙宋妃子，爲賊所逼，因風濤流泊至此，上帝勅爲海神久矣。今陛下師行，願翼贊立功。」帝覺，召故老問事實。祭然後發，海爲無波，直至闍槃，克獲而歸。乃命有司立祠時祭，自是遠近人民行船，凡遇風波，一心懇禱，呼吸之間遂獲平安，此南海福神。斧海今改爲乾海門。

何烏雷傳

陳裕宗時

陳裕宗紹豐年間，麻豐鄉人鄧任瀛爲安撫使，奉命往使北國。妻武氏在家。本鄉有神祠，名麻羅神。夜夜其精化仕瀛，容貌行止，酷類仕瀛，入武氏房，相與通焉，鷄鳴遂起。後夜武氏問曰：「府君奉命北使，如何夜夜常還，而日間不見。」神詭言曰：「天子已差別人代我，而我侍左右，奉御圍碁，不許出外。我念爾夫婦之情，故暗偸還，與爾以覃恩愛，明日急趨入朝，不敢久遲。」言訖，鷄鳴復出，武氏暗疑之。

期年仕瀛使還，武氏胎已滿月。仕瀛具狀奏聞，武氏遂下獄。夜間夢見有一神人前來奏曰：「臣麻羅神也，娶妻武氏有孕，而仕瀛奪之。」帝驚覺。明日，遂命獄官將武氏來前，斷曰：「妻還仕瀛，子還麻羅神。」

後三月，生一黑胞，破得一男，皮膚似墨。年十二，以神無姓，命姓何，名曰烏雷。其色雖黑，而皮膚潤滑，殆若膏脂。年十五，帝召入侍，甚寵愛之，賜爲賓客。

烏雷一日出遊，遇呂洞賓。洞賓問曰：「好官兒部意欲何求？」對曰：「當今天下太平，國家無事，視富貴如浮雲耳。所好者聲色，以娛其耳目而已。」洞賓嘆曰：「爾之聲色，得失相半，當賜以絕技，以留名於一世。」遂使烏雷張其口舌，洞賓唾入，仍使呑之。竟乃騰空而去。

自此烏雷雖目不識丁，而敏捷辨佞，多有過人，詞章詩賦，曲調歌吟，唱詠之聲，嘲風弄月，繞梁過雲，每大驚人，衆皆樂聞。嘗於橋梁寺觀，閒吟逸興，旣而餘音不絕，婦人女子囑意尤厚，深欲見其面。

帝嘗命于朝曰：「烏雷如有犯于家人女者，隨即將來御前，許以謝錢一千貫。若私自殺傷者，倍償一萬貫。」

時有宋室貴人郡國主，名阿金，號金蓮娘者，年二十三，夫亡孀居，姿容美麗，顏色秀異；傾城傾國，絕世無雙。嫣然一笑，惑陽城而迷下蔡。上心悅之，求幸不得。心常恨之，謂烏雷曰：「汝行何計以得之？」烏雷曰：「臣願以一年爲期，如不見臣來，是謀不成，臣已死矣。」拜辭而行。

遂歸其家，放却衣裳，寢於泥潭，暴於暑雨，以致汚醜。因着布袴，爲牧馬奴。取鐮一件、竹籠一雙，檳榔一封，賂主園童，乞入園中刈草。時五、六月，茉莉花方盛開。烏雷一切刈盡，納諸擔中。園花殆盡，侍婢見之，呼使執之，以待來贖者，使償其花債。烏雷曰：「僕本漂泊人，並無家主、父母。常從傭擔求食。昨日見有官人者繫馬于城南門，饑無草食，馬主傭錢五文，使之刈草一擔。僕喜得錢而刈，不識茉莉爲何等物，疑亦皆草。今無以償，願入爲奴，以償花債。」留於門外月餘，侍婢見其饑渴，夜常唱歌與園童聽之。王家奴婢以及內侍服勝，聞其唱歌，咸來聽聞。聞者窮於睇眄、忘其色而樂其聲焉。

有一日，已過黃昏，而猶不點燈者。主居暗室，左右無一人奉侍。主因責其婢以廢役不供之罪，欲加箠楚，以降黜之。衆皆頓首謝曰：「僕等耽聽草奴歌唱之聲，心悅慕之，不覺至此。」主因不問。

主與奴婢夜圍坐庭中，忽聞烏雷歌聲，隔壁聽之，恍若鈞天節調，殊非世上聲音。精神融會，情意感動，尤愛悅之。即命烏雷入爲家中奴，備在左右，以聽密邇。嘗使歌吟唱詠，以瀉鬱結之情。烏雷自此益勤於奔走服役，郡主以此寵信，晝則奉侍左右，夜則挑燈侍立。烏雷並加弩（努）力，承順膝下，動容周還，毫毛不遠，求諸俯仰之間，豁然自得。或命唱歌，其聲音徹于內外，其咏嘲風歌曰：「風何自兮自土囊，出幽谷兮漸飛揚；向來朗苑弄韶光，伊誰謾自爾蟠行。入北窗兮樂羲皇，來襄臺兮過襄王；送人柳下兮迎海棠，解此慍兮此姨娘。」其吟噓月詩曰：「盡是陰精似玉盤，便娛爲物便多端；東西宿泊無常處，行見盈虛不一般；却向白駒光借隙，必容素女間爲蘭；長存不老并天地，樂動時時不暫閒。」其歌吟之聲，柳楊之調，鴈爲之扶搖，魚爲之沖貫。主因感動，遂成幽閉之疾。經三、四月，其疾愈加，主眞情逼切難禁，因謂烏雷曰：「爾之聲音，縻我精神，勞我相慕，以致於斯。原汝於庭中歌聲一唱，秋風飄飄而來；白雲徐徐而過，物尚且爾，況於人乎？近來爲爾聲音使我成疾。吾不以高下介意，爾實能同我琴瑟，言鬱蘭茝，則不煩他醫下手，而自瘉矣。」烏雷辭。主曰：「噫！爾誤矣！以絕世之音，配絕世之色，有何不可？而反至於再疑。爾若過於拘泥，則疾不可爲矣！」烏雷唯唯。遂與郡主通焉，忘其妍醜之態，無所顧惜。

其疾稍瘉，情意加篤，欲與烏雷土田，以爲莊宅。烏雷曰：「僕本無家主，僕今遇郡主，眞是天仙，僕之福也。僕不願得土田及金珠珍玉，願得公主進朝積金裝玉之冠，試之一戴，死便瞑目。」是冠乃先帝所貽，以進見朝賀大禮，而與烏雷，蓋情愛之篤，無所惜也。

烏雷得冠，暗行直歸，戴而入朝。帝見之甚喜。即命郡主進朝，因命烏雷戴玉冠，前入奉侍。帝指烏雷問郡主曰：「曾識此人否？」郡主大慚。烏雷自是以聲色名于天下。時烏雷有國語詩曰：「如今委身充奴僕，寧願天福屬阿雷。」❶王侯家人使女常嗤笑之。有國語詩曰：「面目汚垢似炭黑，才華過人世所羨；首飾本有黃金色，何不試戴一展顏。」❷雖常有詩笑其容貌，然終爲聲音所牽，避不能得，陰與之私通焉。烏雷亦以聲音挑逼家人女子，人畏前令，不敢捶捕，恐追償錢；烏雷以是常通於王侯家女，莫敢捕者。

其後乃通與明威王女，追捉未殺。王入朝，乃跪奏曰：「烏雷夜入臣家，黑白未分，臣未詳其人，臨時已格殺矣。敢請命，許謝錢若干，得奏進納。」帝意其死，即判曰：「臨時格殺者勿問。」王還杖之，不死，即以杵擣之，烏雷臨死，有國語詩：「男兒只求英名在，死生由天無須悲；寧爲聲色輕生死，豈可捐軀爲糟糠。」❸昔洞賓戒之曰：「爾之聲色，得失相半。」其言驗矣！明威王乃聖宗皇后之妹，故帝不着意。

按：呂洞賓，唐京兆人。懿宗感（咸）通中及第，值黃巢賊，携家歸終南山，學道成仙，莫測所在。嘗騎雲遊本國，昔有國人名慈性者，家開酒肆，洞賓每到飲酒，日常受債而飲，積債凡八千貫。後日復來，慈性曰：「公何日還債？」公曰：「今日還矣！」乃取橘皮畫一鶴於壁上，曰：「但有客至飲者，呼而歌，彼能自舞，以此報汝矣。數年之內，立可以富。」慈性聞之，莫測所謂，亦不知其何如？後有人至飲者，呼而歌之。其鶴果從壁上飛席前，跳舞萬狀。酒止，反復飛回壁上而居。人人見之，以為奇異，遠近聞之，爭來觀看，施錢無數，累至鉅萬。數年之間，果成大富。因此，多有祝望洞濱到家者。於是洞濱有兩到其家，而不識者，因題詩曰：「兩到君家君不知，黃金十兩還香行。」自此蓬萊絕消息，又題本朝狀元梁世榮詩曰：「換却心中去世榮，會知洞賓到矣。（按：畫鶴還酒債，東遊洞賓本傳，而舊本復着為我國事跡，不知果何所據？意者我國北辰（時）屬唐，而事載于此，不知兩國而何各有記此一事而並傳歟？抑記者傳聞而誤記之，亦未可知。考因賜烏雷聲技，而附記于此，以備觀覽君子詳之。

夫何烏雷得洞賓之所唾，而聲音嘹喨，眞仙鶴術也。而烏雷亦以此殞。

又按：洞賓名巖，唐河中府永樂縣人。曾祖延之，浙東節度使，祖渭禮部侍郎，父讓海州刺史。德宗貞元十四年四月十四日生。生時異香滿室，天樂浮空，一白鶴自天飛入母懷中，不見，生而金形木質，道骨仙風，鶴頂龜背，虎體童腮。馬祖見之，曰：「此兒骨相異常，自是風塵表物。」二十年不娶，號純陽子。懿宗感（咸）通中，舉進士。後遊長安，遇雲房先生鍾離權，棄官歸隱終南山，受道成仙。

【校勘記】

❶ 此詩原為字喃，作「参它縛典嗔〃碎，悟寧天福底吒雷。」今譯為漢文。
❷ 此詩原為字喃，作「用之𣘃𩈘姪麻廉，几𦁺歇𣦍戈買讒，忍固黃金共國色，體娘鸞典此昭貼。」今譯為漢文。
❸ 此詩原為字喃，作「死生由命管奈𨇒，男兒勉特志英豪；𧍋皮聲色甘羅𧍋，𧍋痦㽽㼝紺𥸷芾芾。」今譯為漢文。

紅嶺山神傳

紅嶺山在義安道。昔羅山縣有四人，攜于山中，見一湖，湖中有美人沿于盤石上，美人見四人遂入湖。俄有大鱉遊于水上，四人驚異，遂採湖邊珍菓而去，終日不能前。忽見異人謂曰：「捨此珍菓乃得出，若還家，勿洩山川事。」後有人洩之，流血而死。

至聖宗幸其山，標扁其峯，凡九十九峯。其湖並不見，如湖中洶湧之聲，其神甚有靈應，遂奉褒封典禮，至今世傳其迹云。今義安省德光府羅山縣紅嶺山在宜春、天祿二縣。

望夫山神傳

山在順化道海門。武昌縣世傳：昔有兄妹二人，樵于林中。兄斫木，誤被妹面，妹痛倒臥，兄以爲必死，懼而遠遁。遇一老父，遂收養之。及其長成，顏色甚美，頗異於前。後老父死，始嫁其夫，乃親兄也。

兄不知爲妹，見頭上有大痕，因問之。婦曰：「妾幼時從兄入林斫木，誤中額上，兄即遁去，不知生死何方？」兄心覺其妹，然已誤娶，不敢明言。乃託爲販賣行役，逃去不歸。妹不知爲兄，日望之，沒乃化爲石，因呼爲「望夫石。」人見其靈異，立祠奉事之。

仙遊金牛跡傳

昔上古有王質者，樵于山中，遇二仙童圍碁，授質一物，如棗核，食之不饑。置斧，坐而觀之。仙子曰：「汝柯爛矣！」質俯視不見。及還，無復時人。後人因名曰爛柯山，又曰仙遊山。縣曰仙遊。今猶有舊迹。

金牛精，中夜嘗放火光，有僧錫厭其牛額，金牛奔出，觸於民間，因爲沼津，爲陽村。又至文江地方，因名潭牛淵，如鳳、如鸞。步至大欄、多牛等社，皆以金牛所至而名其社。又出吐港大江外，至狩江緣渡蕊仁岸，從淳江至蘇瀝江，入西湖。世傳高駢有術數，通地理，嘗以紙鳶飛騰掩諸勝迹。有金牛精遂逐入靂潭，忽不知所在，其所走迹，皆裂爲溪壑溝渠。昔人有詩曰：「金牛猶隱在湖中，水涸堪尋不見踪；大越安南存聖帝，高駢下筆恨無窮。」

布拜神傳

神乃炎龍之精，昔下洪路捍橋人。姓鄧，一名英明，一名善射。兄弟二人，入海以捕魚爲業，遇一異物，若木狀，長三尺許，色如鳥卵，隨波上流，二人接得以歸。至夜，忽聞其中有聲，二人驚異，投於中流，就別舟宿泊，夢見一人來語曰：「我乃東海龍王妃，誤與炎龍交，所生之子，恐東海龍王知之，寄托於汝，汝等守護，勿令觸犯，他日長成，必能福汝。」二人驚覺。再見前木附船，因載以歸。

至家，安置布拜地，木忽從舟中躍上岸，二人乃立祠，刻木作像事之，號曰龍君。陳時遣侍臣入海求珠，衆人所獲者少，惟鄧氏子孫所獲甚衆。上命禮儀樂音以迎之，乃大獲珠玉，詔賜珠龍君，贈封利濟靈通惠信童王。祠在瓊瑰縣布拜社東。有一枚他地他麻，是其所刻像處也。在嘉福縣范松社，並爲上等神。薑村又在他麻，是刻像處，歷代加封美號，甚爲靈應。

鱗潭神傳

是神乃龜神也。昔時嘗化爲人，就學。其師怪之，因覘所居，見入于本潭處。師常詰問，龜以實對曰：「今年上天休假行雨，歲以之旱。」師強使之行雨，龜不得已，行雨如墨。後潭中有災旱事，師幸存。龜即吸硯中水，噴成墨雨，以濟其旱。上帝以爲洩事，罪之。屍浮于潭，師乃泣葬，因名曰龍潭。後改曰鱗潭。其威靈顯應，祠在清潭縣鱗潭社，世褒封爲中等神。

國師立朔天王祠

黎大行紀

大行時，匡越太師吳眞流，常遊于平魯鄉。（一作衛靈山。）悟其景勝幽致，創庵居之。夜三更，夢見神人，身被金戈鐵甲。左手執金鎗，右手執寶鎞，從者千餘輩，狀貌可畏，謂曰：「吾即鬼沙門天王，從者皆夜叉神。天帝有勅，命往北國護此下民，於汝有緣，故來相告。」師驚悟。聞山中有呵喝聲，心甚怖之。乃自入山，見一大樹，枝葉鬱茂，有瑞雲擁覆其上，命匠伐之，刻爲神像，如夢中所見，立祠奉事焉。

天福元年，宋師入寇，命師就祠懇禱。時宋兵駐西結村，兩軍未接，忽然宋兵見之驚駭，退保大江。又遇波濤震蕩，蛟龜騰湧，爲之奔潰。帝褒美其英靈，增立祠宇，封爲朔天王，以鎮北方。祠在金英縣衞靈社，榮奉不絕。或以爲董天王討平賊後，騎鐵馬，至靈山椿樹冲天，惟遺衣尚在，至今人呼爲易服樹。凡事祈禱，用齊潔。至李朝，欲便祈禱，創立祠宇西湖之東，尊爲福神，今西湖日杲坊。

弘聖大王祠傳

大王者，黎大行時范巨倆也。南策人。祖占銅吳甲將軍，父蔓南晉參政，兄溘丁衞尉將軍。巨倆幼主時，宋人來侵，大行時權居攝，丁太后命選勇士拒宋，大行以倆爲大將，方畫策出師。巨倆率將士扶立大行爲皇帝，累官至太尉。

李太宗通瑞間，帝以都護府多疑獄，士師不能決，擬立神祠主於問獄，欲得彰著明靈，痛塞奸詐者。乃沐浴焚香，請於天帝。是夜，夢赤衣使者奉上帝勅，賜巨倆爲都護府獄訟盟主。顧問丁使曰：「是何人？典何職局？」使曰：「乃大行太尉也。」帝夢覺，乃詔群臣微（徵）事，封弘聖大王，命有司立祠于城南門之西。（後改為沙聖世祀為獄主。）

冲天昭應王傳

李太祖時

王本薦福土神。昔扶董鄉立土地祠於寺門之右，以爲誦念之處，後僧徒漂泊，歲月侵尋，鄉人以爲神祠，隨俗祈禱。迨多寶禪師，重修廟宇，傳燈住持。師覺畢，乃築壇授戒，祭酒齋素。太祖潛龍時，知多寶之高行，相從遊焉。及受禪登極，親幸其寺。時師迎車駕，置祠側，抗聲問神曰：「佛子既得落俗，又能慶賀新天子耶？」神即應聲，自現。隨題偈於樹皮云：「帝德乾坤大，威聲振八埏。幽明蒙惠澤，優渥拜冲天。」上覩頌，知其情意，仍賜號冲天神王。倏然頌字乃沒，上怪異之。命工塑像，容貌卓卓。及侍從八軀，開光慶讚畢，忽然神自現於寺柱。有四句偈云：「一鉢功德水，隨緣化世間；重重光燭照，沒影日登山。」師以偈進，太祖不曉其意，至後李失國。惠宗第八葉，即一八功德。諱旵，即日登山。神之偈信矣。歷代加封美號，師爲僧萬行亦必有見矣。

開天藤州福神傳

李太祖時

神本藤州古廟土神。李太祖時，典親兵，食邑于藤。有時遊覽至本鄉，舟行江中，忽遇暴風立至，顧問江岸何神祠，有靈應否？對曰：「此藤州土地神祠也。州人禱雨祈晴，以爲靈應。」聖上唱曰：「若却得一陣風雨這邊晴，方許的是英靈。」少頃之際，果然一半江雨，半江晴。上怪異，乃令修葺祠宇，榮奉香火。村人詩曰：「美矣大王威望重，藤州土地顯神靈；却教暴雨無侵犯，那一滂沱這一晴。」上聞之，有自負之心。

及黎臥朝崩，上將謀大事，就祠密告，乞望靈應。是夜，夢見異人報曰：「要欲克成，諸方皆悅服，萬國享昇平，三年民樂業，七廟主安寧。」既而夢覺，未曉其意。有夢占之，是謂吉兆。乃升藤州爲太平府。封神爲開天城隍大王。陳重興元年，加封開天鎭國四美字。

其神祠在河堤內，常被洪水泛溢。有江邊本村人時常望見車馬帕蓋，侍從行人，若往防護水者。故隄雖卑濕，水不能災，經年河決，逼近祠神。統元丙戌年冬，更於大堤上築立廟宇，適見正寢將成，縣吏與村人宿於草舍，上聞有人來備錘畚聲，隱隱然相應，若村人作之狀，晨親省之，見礎石各柱並已轉回，移入堤左邊，近三尺許，尤顯其威靈矣也。近奉迎寧神之日，知使州黃南金有詩題廟云：「分土州墟丕赫赫，開天玄造仰巍巍；堂成欲試眞靈跡，一夜神功妙轉移。」其廟金洞縣藤州社，今號廟秃遷。

銅鼓山神傳 李太宗時

我國上等之靈神，在安定縣沙泥上社。李太宗爲太子時，征占城，至長州。夜過三更，夢見異人，戎服，自稱山神，聞主南征，請從王師立戰功。王於夢中與語，甚詳。及捷，還立祠奠祭；還京，卜地立祠。又托夢請居城內石聖主寺側。及太祖崩，三王謀反，前一日，復托夢於太宗，令警備，果驗。詔封其爵，立廟時祭，立爲天下盟主。陳朝封爲明靈感應保佑大王。祠在涼慈恩寺側。

媚醯貞烈夫人傳 李太宗時

占城主乍斗之妻也。太宗征占，斬斗，獲媚醯。帝至泣仁江，遣中使君之，含慷不勝，以白氈自縲，投于黃江中死。每霜晨月夕，常聞哀怨之聲，國人立祠事之。

後上幸滋仁，御龍船，見祠于江側，怪問左右，具以夫人事對。上怛然曰：「果有貞靈，切須報朕。」是夜三更，現夢于上。身衣占服，且拜且泣，曰：「妾聞婦人之道，從一而終，乍斗雖不與陛下爭先，亦一方之得志也。妾常蒙寵惠被，今以失道，上帝降謫于陛下之手，致國破身亡，妾之日圖報無由。一朝幸遇陛下，遣中使送死于水，獲全妾身，感恩甚大，更有何術稱靈，仰孚聖聽。」言訖，不見。褒封協正娘夫人。

應天化育后土神傳

李太宗時

南國大地之神，聖宗伐占城，至環海門，暴風大雨，波濤洶湧，遙望如山，御船戰艦，不能渡，乃泊於沙岸。夜夢女人，素服紅裙，淡粧婉娩，登御舟言曰：「妾是本國大地之精，棲神于木久矣。今遇明君出征，願效從戎以立功。」言訖，不見。上遂驚悟，有左右耆宿與語。有僧統惠生對曰：「神言托棲于木，宜求而得。」於是遣親人徧求岸上群峯，偶得木頭似人形，如夢所見。命置御船，焚香致禱，號后土夫人。頃刻，風晴浪帖，行師利涉。已而，平占，師還，過舊處，勅立祠。頃之，風波再動，飄蕩如故。惠生奏：「神意不欲居邊岸，欲便回京。」環玟得便海浪帖然。上至京，作祠宇於安朗鄉。有褻漫者，立見凶妖。

迨陳英宗時，旱熯，築壇以祈，神托夢于上曰：「本祠有勾芒君，臨行法雨。」命有司享之，果得大雨。勅封后土大夫人，歷代加封，以其功於民。陳朝封應天后土神祇元君。凡立春土牛皆納祠下，至今成俗焉。

汪娟 校點

天南雲籙

天南雲籙 出版說明

天南雲籙二卷，不著撰者姓氏與年代。全書計收錄三十八篇神話傳說，自鴻厖傳至乾海夫人傳等十五篇屬卷一；自越井傳至夜叉王傳等二十三篇爲卷二。其內容大抵可分爲越南民族與事物起源之神話傳說與民間神祇傳記兩類。詳審三十八篇內容，其故事均見於嶺南摭怪，然內容有詳略，文字有異同。且其篇目下有注出處，當非嶺南摭怪之異抄本。其篇目下注明「出嶺南摭怪」者有：鴻厖傳、董天王傳、金龜傳、西瓜傳、蘇瀝江傳等五篇；而注明「出天南古跡」者，有：布蓋王傳、龍爪傳、徵王傳、龍肚神傳等四篇。其他二十九篇雖篇目下不注出處，然亦多有於篇首說明所據，如士王傳有「按三國志云」；乾海夫人傳有「按本傳云」；范巨傳有「按史記」；朔天王傳有「按禪苑集錄」；龍肚神傳有「按杜善史記云」；銅鼓山神傳有「按報極云」；李服蠻傳有「按杜善史記云」；沖天王傳有「按古法記云」；藤州土神傳有「按杜善史記云」；白鶴神傳有「按趙公交趾州記云」；后土傳有「按報極傳云」等。詳審此類篇章均與嶺南摭怪卷三及續類同，當是根據各嶺南摭怪加以改編者。

此書今所知見僅有抄本一種，原爲遠東學院所藏，編號A 1442，現藏越南河內漢喃研究所，法國遠東學院藏有微捲。原抄本字體工整，凡七十五葉，每半葉九行，行二十九字。封面署「天南雲籙」，第一葉首行題「新編天南雲籙列傳卷之一」，第三十一葉首行題「新編天南雲籙列傳卷之二」。卷二道行明空傳、蠻娘傳、何烏雷、東海妖魚傳、白狐九尾傳等篇後有詞語注釋。此次整理因無異本可資參校，故僅據法國遠東學院所藏之微捲影印本加以迻錄、標點、排印。

書影

天南雲籙

新編天南雲籙列傳卷之一

鴻厖傳　出嶺南摭怪

初炎帝之孫帝明南巡於五嶺接得婺仙之女納之以歸生祿續容貌端正聖智聰明帝奇之欲以為嗣祿續固讓其兄帝宜帝明遂立帝宜以為帝嗣封祿續為涇陽王以治南方號其國為赤鬼國王能適知水府娶洞庭君之女曰竜母生崇攬封貉竜君以代治其國涇陽不知所之竜君教民耕種衣食始有君臣父子夫婦朋友兄弟之倫竜君

之白雲錄　一　上

異使使者接明空八見明空持大釘長五六寸許釘于殿柱厲聲曰能拔此釘方可療疾如是再三人莫能應於是以左手拔之衆皆驚異及謁見帝厲聲曰大丈夫貴爲天子富有四海乃發此狂亂耶帝大驚服悚明空以大鑊煮水百沸以手攪之數回遍浴帝身其疾尋愈乃拜明空爲國師沙門以褒賞之至太平二年入滅茶毗年七十六矣

五戒一不殺生二不偷盜三不邪淫四不妄言倚語五不飲酒食肉也

睚眦杜牧傳云睚眦瞋目也言有舉目觸忤之者即睚眦也

眞印 言得道者傳曰眞印

衣鉢 謂得道傳得衣鉢出佛經

竿頭 招覺大師偈云百尺竿頭更進步十方世界是全身言百尺竿頭之高更須添工夫若百尺竿頭再進一步則氣形無相眞空之皓工夫極矣

象鼻 象之一身運用在鼻此言鼻象鼻者喻其專於運用也

麈尾 麈音主鹿之大曰麈群鹿隨之皆視所往麈尾所拂爲準

清海 般若能變化生人使之智慧若海中之船渡人登岸故也

胥衢 四達之路曰衢言般若有如已燭照人於暗路也

惡府 府聚也左傳昭公二年晏子謂叔仲曰吾不爲惡府也言不能爲李氏逐女以生惡府之聚也

[illegible]

[illegible]

隻履 後漢達摩自梁至魏端居而逝謂隱脫去也
履後三年魏宋使西域過達摩于葱嶺手持隻
履翩翩獨行問師何往曰西天土
明帝開墳視之此一隻履存焉
茶毗 僧生化曰入滅火焚曰茶毗

孔路覺海傳

李嘉慶中有僧姓楊字孔路青海人也世常以魚
為業孔路棄業出家投佛同鄉人覺海相為友善
遊荷擇寺棲焉草衣木履乃忘其身外嚴梵貝從
事比丘內外禪定心神爽然粗有大鑒真印有時
為羽容有時作毛仙覺有免乎泥珠之報復於本

縣寺居之占成一塢白雲之妙以掛錫焉時有侍
者白雲之曰某自來主茲未蒙指示心要敢呈一
偈云
嚴練心神始得清　森森直幹對天庭
有人來問空空法　身坐屏邊影集形
此何謂也孔路磬之曰汝從山來吾為汝接汝從
水來吾為汝受何處不與汝要乃呵呵大笑會大
慶十年乙亥三月五日順寂其徒收舍利塑于寺
門初覺海慕鉤魚常浮遊江湖年二十五始舍竿

新編天南雲籙列傳

卷之一

鴻厖傳 出嶺南摭怪

初，炎帝之孫帝明，南巡於五嶺，接得婺仙之女，納之以歸。生祿續，容貌端正，聖智聰明。帝奇之，欲以爲嗣。祿續固讓其兄帝宜，帝明遂立帝宜以爲帝嗣。封祿續爲涇陽王，以治南方，號其國爲赤鬼國。王能遍知水府，娶洞庭君之女，曰龍母。生崇纜，封貉龍君，以代治其國。涇陽不知所之。龍君教民耕種衣食，始有君臣、父子、夫婦、朋友、兄弟之倫。龍君有時歸水府，而百姓晏然。民有事則呼曰：「逋主何在？胡不來治我輩？」龍君倏然而來，其靈應如此，人多敬畏。

時帝明子帝來治北國，帝來又思帝明南巡接得婺仙之事，乃命親臣蚩尤守其國，而自南巡。見龍君已歸水府，中國無主，乃留愛女嫗姬居峰城（今白鶴縣也。）。而巡行天下，徧觀刑（形）勢。至於奇華，見山濬海錯，無物不有，風氣四時，喧陽和煦，心樂居之，忘其歸國。人民煩擾，不能如帖然之初，相率而呼龍君曰：「逋主何在？使北主擾吾民。」龍君忽然而來，見嫗姬獨居宮城，侍妾僕從，儀衞甚嚴。龍君化爲好兒郎，豐姿雄偉，從官羅列，笙歌舞蹈，達於宮中。嫗姬見而悅之，遂從龍君歸岱岳。及帝來回，不見嫗姬，乃命遍求天下。龍君有神術，變化百端，帝來群臣畏之，不能自勝。又聞蚩尤作亂，與有熊國君較戰，未分勝負，乃北歸。蚩尤獸形人身，勇猛有歲。人教軒轅以夢（猛）獸皮縵鼓爲令，以骨爲椎，還擊之，則聞聲百里，如此可以取勝。軒轅一如其言，蚩尤震恐，大敗，死於涿鹿。於是軒轅有其國，是爲黃〔帝〕。

帝來還，與黃帝三戰，敗績，囚於洛邑而死，神農氏遂亡。

龍君與嫗姬居，期年而孕，滿月，生一包，以爲不祥，棄諸源頭。過七日，包開百卵，卵開各一男，歸之而養，不煩乳哺，各自秀異。及長，資質雄偉，智勇俱全，見者知其非常人。龍君歸水府，忘其妻子，嫗姬慌然，思回北國。行至境，黃帝聞之，甚恐，使人閉關拒守。母子不能歸，哀恐，呼龍君。龍君倏來，遇於襄野。嫗姬曰：「妾與君王生得此子，無由鞠育，願自相從，勿令遐棄，使無夫無父之人，徒自悲耳。」龍君曰：「我是龍種，水族之長；爾是仙種，地上之人。本相屬水、屬火，雖陰陽相配，氣合而生，然方族不同，難與相處。今分吾五十男，歸水府，使治各處；分汝五十男，分國而治。登山入水，有事相聞，無得相廢。」百男聽命。

龍君將五十男歸水府，嫗姬與五十男歸峰城。自相推讓，立作君長，以其雄長尊爲王，號曰雄王。建國於文郎，其土地東接於海，西抵巴蜀，南至胡孫精，北接洞庭湖。分其國爲十五部（文郎、交趾、朱鳶、武寧、福祿、越裳、海寧、陽泉、陸海、依歡、九眞、平文、祈興、九德、之類），定命群弟治之，皆以臣於峰城。其次者以爲相，曰「貉相」，將曰「雄將」。王子曰「官郎」，王女曰「媚娘」。有司子曰「蒲正」，奴隸曰「列婢」。以父子相傳，曰「父道」（後改爲「輔導」）。世世相傳，皆襲「雄王」之號。

後山麓之民，見河上濮水，魚蝦多聚，相率取之，爲蛟龍所害，乃告於王。王曰：「山蠻之種，與水族殊，彼好同惡異，故有害之。」乃令以墨畫其身。自是蛟龍無咬傷之害。百越文身之俗始於此。然初民用未足，以木皮爲衣紝（與織同。），草管爲席，以櫚棕爲檳榔，以桄榔爲飯，以禽獸爲鹹，以薑根爲鹽，刀耕火種，便多糯粳。以竹筒架木爲屋，以避惡獸。剪髮以便入山林。子之初生，芭蕉臥之。人之死也，以杵檻之，使鄰人聞以相救。凡稼娶之禮，先以鹽封問名，然後以牛羊成之。其迎婚也，先以糯飯入房，夫婦對食，食悉，然後交通，以其時未有檳榔也。蓋百男，乃百粵之始祖也。

董天王傳

出嶺南摭怪

昔雄王六世，民物康阜，熙熙皡皡。時殷王見雄王無朝請之禮，托以南巡，而侵伐之。雄王聞之，召群臣問攻取之計。或進曰：「莫若求龍君陰將。」王然之。遂築壇，齋戒致敬，三日以禱。忽見大風雷雨疾作，見一老人身長九尺，體質豐碩（碩），鬢眉皓白，立於歧路，談笑自若。因以告王。王出拜，接於壇。進以酒食，皆不之顧。王請曰：「今聞北方來侵，勝負如何？倘或高見，願以啓見告。」老人良久，索筭，卜曰：「三年後賊來，吾告之矣。」又請問計。老人曰：「整備器械，訓諫（練）士卒，爲國威勢。徧求天下有高才能破敵者，分封爵邑，傳之無窮。若得其人，則賊不足平矣。」言訖，窈冥晝晦，騰空而去。王及群臣皆驚異。

比及三年，邊人告急：「有殷王兵至。」王如老人之教，乃遣使求之。至武寧部扶董鄉，鄉有富家翁，年六十，生一男，方三歲，不能言語，惟仰臥飲食而已。母聞使者之求，戲曰：「生得此子，徒能飲食，而不能擊賊，取朝廷重賞，報乳哺之恩乎？」子勃然而起，曰：「喚使者來，問何事？」母大驚。以告鄰人；鄰人亦驚，乃迎使者。使者曰：「爾爲小兒，方能言語，問我何為？」兒起坐，曰：「速告於王，鍊成鐵馬一匹，高十二尺，鐵箠長二十七，鐵笠大准兩蓋。修畢將來，賊不足平矣！」使者歸以告王，王且驚且喜，曰：「吾無憂矣！」群臣曰：「此為小兒，安能破賊？」王曰：「是為龍君救我，如前老人之言，信不誣也。」乃求搜得庫中鐵五十斤，鍊成，將至。

母大驚，恐禍及已，嘆息告兒。兒笑曰：「但渴飲食耳，如何醉飽，則可以垂手成功。母何憂乎？」母於是與之食，不問多少，須臾皆盡。鄰人供給，吹爨不勝。於是欠身而立，噫聲如電。縱然身長十尺，腰大數十圍。衣裳不勝被，乃以布環體為衣。持箠厲聲曰：「認得天將否？」遂上馬。馬踴躍鳴，奔馳如飛，瞬息至王前。乃指麾王前行，官軍隨後，至殷王寨，大戰於武寧鄒山。殷兵大敗，羅拜為天將。遂殺殷王於陣前，餘衆悉降，振旅而還。至安越朔山，乃解衣乘馬，冲天而去。王思其功無以報，乃尊為扶董天王，立祠於鄉以事之。賜田一百頃以奉香火。終殷之世，不敢加兵，四夷聞風而慴服，歸附於王。後李太祖亦嘉封之，今其祠有建初寺在側焉。

傘圓神傳

傘圓山者，南國之名山也。在京師西北，去昇龍城百餘里。其山三峰羅列高聳，圓形如傘，因以名焉。以其最為靈應，禱雨祈晴，無不立驗。有時冥如幢幡之狀，縹緲於山谷者，謂之神見。或云：神乃五十男從龍君之一山精，灝氣之英也。神常自神符海口歸，尋高山清淑之地，人民淳樸之風以居之。經大江龍編、肚龍之地，欲居之，有不滿意，遂沿滬江而上，而福祿江津，見傘圓山崇秀麗，民俗淳厚，於是開一條路，其直如繩，自江津達於海隅，以通往來。又於別岩山頭創立屋舍，以備觀憩息。其後人因迹立祠以事之。

迨雄王季世，王有女，容貌甚美，欲得佳婿。一日，二大人從外來，致辭曰：「臣等皆在本國，一山精、一水精，聞王有聖女，願以爲配。」令試法。山精乃指山，山崩，出石中無礙。水精乃噴水成雨。王曰：「二君皆有神通，然吾有一女，安得兩賢？如能備聘禮先至者，嫁之。」二人領話而歸。明日，山精備禮而先至，王如約嫁之，乃迎回傘圓。水精乃後至，不久，忿怒激烈，乃興雲作雨，率水族之衆追之。山精乃以鐵網截慈廉江流。水精不能進，乃復從別流，自莅仁入沱江（今嘉興府）以擊之。又鑿小江岐向傘圓前，所至甘蔗、來樓、古鶡沿江諸村，皆爲深淵，以觀其衆而圖取之。山精使蠻民編竹爲籬，以備之。凡見他物入者即斬之。或蛟龍、魚鼈之尸，充斥江河，年年常有，至今爲仇讐。

唐咸通日，高駢爲安南都護，每以神術厭諸靈處。駢以少女未嫁者，剖去腸胃，充以燈蕊草，被之衣裳，坐於登椅，以薦於神，潛能舉動，揮劍斬之，使沒其靈氣。駢薦於傘圓神，神於白雲中唾之而去。駢嘆曰：「南方靈，無可絕者。」至陳辰（時），翰林學士阮士固從征西蠻，拜謁題詩云：「山峙天高神嶺清，香心纔叩已聞聲，媚娘只具威靈著，願學書生保此行。」其見敬重於人如此。或云：得仙之術，變化無窮，威靈顯應，爲大越第一等神也。

李翁仲傳

昔雄王時，有姓李，名身，字翁仲，慈廉人也。身長數丈，勇悍殺人，王惜其才，不忍加誅。至安陽王時，秦始皇欲加兵我國，王以李身貢之。始皇喜，以爲司隸校尉。及始皇併天下，使李身守臨洮，聲振匈奴，不敢犯塞，封爲輔信侯。後以老乞歸，始皇許之。至是匈奴又犯塞。始皇欲召李身爲校尉，李身不肯行，竄於林澤。安陽無以應，詐云已死。秦人命以尸來，李身不得已，乃自殞而死。王以合灰塗之，送納於秦始皇。乃命鑄銅爲像，號李翁仲，置咸陽宮司馬門外，腹中容數十人潛搖動之，匈奴以爲生校尉，不敢犯塞。歷唐時趙昌爲交州都護，夢李身講春秋、左傳。及覺，訪其故宅，立祠以事之。至高駢平南詔，常靈助順。駢重修廟祠，刻木爲像，號李校尉祠，今在慈廉縣甘市村江邊，去京城五十里。

一夜澤傳

昔雄王三世，王有女，曰仙容媚娘，貌甚美，年十八，不願嫁夫，喜巡行娛弄。王鍾愛其女而許之。每年二、三月，船艘裝載，浮遊海外，興盡而歸。時瀘江適褚舍鄉有人姓褚名徵雲，子名童子。父子性本慈孝，家遇火災，財物俱盡，尚遺一布袴，父子出入，迭相衣一。一日，徵雲病且死，謂童子曰：「我死，裸葬之，留袴與女，庶幾無愧。」及徵雲卒，童子斂葬之。由是無以蔽體，而凍餒尤甚，乃立水中持竿釣魚，而望夫商客往來，隨船乞飲食。

一日，仙容船到，傍徨無所退避，顧見洲沙有荻蘆一叢，扶疎三四株，遂匿其中，竿觚沙爲血穴，藏身於下，歷覆以沙。須臾船到，駐於其所，行遊洲上。已而，命以幔圍荻蘆叢，爲沐浴所。仙容入幔浴之，沃水灌，培沙散去，露出童子。仙容認得之，怒曰：「我不願夫，今遇斯人，露體同處，庸非天乎？」遽命起，同浴，賜之衣裳，登船共餐。舟中之人皆以爲嘉會，古今罕有。童子具道其所由，仙容嗟嘆，命爲夫婦。童子懇辭，以爲不可。仙容曰：「如此，無復固辭！」

童子從之。乃使人馳告於王，王大怒曰：「不惜名節，不恤廣費，動行娛弄，自謀自嫁，天已與汝，汝不得歸國！」仙容懼，不敢復命。遂與童子創立市肆，與民貿易，以治生業，卒成大市。凡諸商賈，皆敬愛之，推爲市長。

一日，有大商人謂仙容曰：「貴人能出黃金一斤，出海外買貴物，來年可得十斤。」仙容謂童子曰：「我之夫婦是天所使，凡其衣食無不由天，君可以黃金一斤，與商人行買物，來年取息，以供費用。」於是童子與商人行，至海外瓊園山，山有小庵，有道士名佛光。教童子以佛法，童子樂居之。乃付商人金，行買貨物，而從道士。後商人至此，商人復與童子歸。道士贈一杖一笠，囑曰：「靈通已在是矣。」童子歸，具以事告。仙容覺爽，遂廢商賈之業，相與優游，從師學道。一日，從外回而未至家，中途駐宿，乃立杖覆笠以自蔽。夜及三更，忽變爲城郭、珠樓、寶殿、府庫、廊廡，金童玉女羅列滿前。明日，人民見之驚異，爭持牛羊酒食獻享稱臣，粗置官僚宿衞，漸成一國。王聞之，以爲作亂，遂發將以討之。官軍將至，群臣請禦之。仙容笑曰：「天之所使，生死在天。豈敢拒父？順受征誅，任其殺戮而已。」時衆新集，於是一一散去，惟舊婢與仙容在焉。官軍悉集，駐營自然洲，會日暮未進。夜及三更，忽有大風雷雨疾作，揚沙走石，折木發屋，官軍錯亂。仙容、童子部黨一時拔去升天。明日，人視之，惟見成大澤深涸而已。王聞之，嗟嘆悔然，乃命立祠以事之。因名其澤爲一夜澤，洲爲幔幗洲，其市爲琛市。

後李南帝爲梁兵侵，帝本野能洞（尚），帝命將軍趙光復禦之。光復率衆禦此澤，其澤多深潤沮洳，難行難止。光復獨木船以時進退，奪取賊糧以撓其衆勢。梁兵屢失機而不知所處，難與爭鋒。陳伯先嘆曰：「古人一夜升天，信矣。」及侯景作亂，梁武帝召伯先還，委裨將楊孱代之。光復齋戒禱於澤中，求其救助，以平亂賊。見神人自天而下，自言姓名，乃曰：「我本一心忠孝，得飛天之術，今王誠心懇禱，故來相助。」言訖，脫龍爪付光復，使致諸亮弩所向，賊必飛靡。光復得之，氣力益倍，軍聲大振，乃奮身來戰。梁兵大敗，斬楊孱於陣，餘兵北還。時南帝已崩於野能崗中，光復自立爲越王，城於武寧鄒山。

蒸餅傳

昔雄王破殷王之後，天下太平，國家無事。王欲傳位於子，以其自安養，乃會諸郎二十二人，謂之曰：「我欲傳大位，然有能如我意，其珍甘異味，終歲進於王，以盡孝道者乃可。」由是諸官郎偏求天下珍禽奇獸，如不能及。

惟十八官郎名僚，其母已先逝沒，左右又欠，其人無以應辦，常憂思不已。忽夢神人告曰：「天地之物，所貴者米，蓋米以養人，能壯精神，食之無厭，化物莫比。」乃教以糯米爲餅，制作方圓之形，以象天地覆載之義，中含珍甘異味，以稱父母生養之恩，如此則親心可悅，天位可得。僚失轉而覺，以語家人。遂擇精白糯米，洗潮爲之，一如夢中所見，終日蒸煉，施於葉上，名曰「薄持餅」。至期來獻，王歷觀之，諸官郎無物不有，惟王獨進二餅。王怪，問之，僚以實對。王嘗之，果然適口無厭，諸官郎之物莫能加。王嘆美，遂以僚爲第一，傳之以位。

自是以來，每年歲終，常以此餅爲奉親之具。天下效之，至今不絕。王以名僚，因謂此節爲「節僚」（後訛為燎）。其諸官郎二十一人，使之四方，分守藩籬。迭及後世，爭長不睦，各共木柵以遮護，因號爲「柵」，爲「莊」，卒成其偌焉。

檳榔傳

初雄王之世，有一官郎，形體高大，便以檳爲姓。生二子，長曰檳，次曰榔。二人養育俱齊，容聲相似，人莫辨爲兄爲弟。其年幾冠，父母俱亡。於是尋師肄業，舍於留道士家。留有女，年及加笄，見而悅之，欲得相配；父母鍾愛其女，亦不忍違。然而頑頡未定，（飛而上曰頡，飛而下曰頏），伯仲難知，乃與粥一碗，女於屏處潛窺之。見榔讓檳，因以告父母，乃妻檳夫婦焉。

檳於是賦詩一首，以敍其情云：

兩儀開判後，萬世起姻淵；相對冰人語，俱題紅葉言。
恾恾鶩白壁，愕愕駭痕肩；金屋嬌娥貯，紅絲繡幞牽。
婚成稽鳳卜，事竟駕魚軒；鶯鶯呈千戶，麒麟降自天。
弧懸期志大，鞭着破樓煙；蚌口生珠美，鳳毛肖體全。
竹叢森挺挺，瓜瓞益綿綿；萬事俱前定，方知是合緣。

榔見詩，只言夫婦之情，不及兄弟之義，乃忿然不告而歸。途經山麓時，天霖雨，泉水漲溢，無可渡者，而烏輪已入山頭矣，乃獨坐慟哭而死。檳居數日，以思弟之故，寢食不安，遂棄其妻而歸。顧見弟尸於泉上，不勝悲忿，遂號哭數聲而自絕。妻深憶其夫，情不能已。於是潛出，自家而來，達於其處。忽照得之，驚悲交作，遂抱夫尸哀號一陣，吐血數升而死。留道士以女不告而去，勃然悲忿心攻，愛憂情緩，遂不追訪。終及歲餘，然音耗雖屏息，而恩情則未斷。想及女之言行形容，感愁於心，不能自遏。遂備裝而來，至於其處，乃息於大樹之下爲介。見源邊枯骨三人，或口旁生一小樹，纔及二三尺許，或腹間化成大石，或心間生一小藤，長及數尺，盤旋於石上，然猶未知其誰也。時當盛暑，紅日沖沖，人之往來至此，咸有休息迎風之快。有言及往事三人事者，留問之，始知其爲檳、榔及己女，於是不勝哀痛。明日，伐木編草爲祠，設三人位，具其酒饌，自制爲文以祭之。其文曰：

痛惟汝等命輕霜葉，義重丘山；同根有似紫荆，結塚何殊連理。想汝初來謁吾，以為松柏之才；思汝自托生吾，以為門楣之喜。意其有楞樑之度，故欲成喬梓之恩。予方竹筍遣行，擬有兼霞玉樹；汝自椒房寵用，盍親丹桂姮娥。每云雪藕養生，豈意木墳大拱。噫！生死有限，雖楊枝之水難求；壽夭非常，則蒿里之歌易起。茲予蒲輪適往，芻生束來；忽聞薤露重悲，曷勝哀感。謹取菊椿二叵，庶瀉幽懷。嗚呼哀哉！汝其享之。

祭畢，回程儆次，哀想不寧，傍徨就枕。忽然就睡，見三人前來，拜曰：「某等以兄弟之故，義不苟生，連及君之合（令）愛，本不見罪，復蒙慰祭，敢不來謝。」其女繼之曰：「妾自托生，蒙君撫養，垂及期年，無由報答。頃以夫婦之道，意欲從一而終，婦道雖全，而父恩則缺，敢請罪。」留道士曰：「汝等能盡友恭之道，以思從一而誠，吾亦何恨？但以異路適分，一朝千古，故成哀感爾！」已而，索酒勸酌，三人懇辭而去。留欠伸而寤，猶遽遽然，如一夢也。明日復詣祠所，揮淚爲別而去。自是時人過此，皆焚香致拜，稱爲兄弟友恭，夫妻節義。其後雄王巡行至此，見祠前樹菓稠密，藤蘿彌漫。王問之，或對以事，而不知樹藤之名。王嘆賞久之，乃令人摘樹菓藤葉視之，有置於石上摧破者，頃之朱紅競起，氣味芬芳。王令試食之，果然香靈可愛。於是燒石爲灰，浸塗之葉上，合食之，唇頰丹紅，寒邪屏辭。傳於天下，處處重之。因名其樹爲「檳榔樹」，其藤爲「芙留藤」。自是而後，凡嫁娶會同之禮，以此爲先焉。謂之「檳榔」者，以其兄弟之義名而幷言之，亦謂之「槹」，蓋其性也。謂之「芙留」者，以其藤葉扶疎可愛，而女本姓留故也。

白雉傳

辛卯歲，雄王使其臣稱越裳氏，獻白雉於周。其言語不通，周公使重三譯，然後始入。周公曰：「交趾短髮文身，露頭洗足，力耕火種，食檳榔，染黑齒，何由若是？」使者曰：「短髮以便入山林，文身肖龍君之狀，以游泳於水，蛟龍不犯。力耕火種以避炎熱，食檳榔以除汚穢，故成黑齒。」周公曰：「德澤有加，君子不饗其質；政令不施，君子不臣其人。」及記黃帝誓云：「蛟龍不得犯。」乃賞重物遣還。使者歸，迷失道。周公錫以駢車五乘，皆爲向南之制，使者載之，由扶南林邑海際，期年而至其國，故指南車嘗爲先導。故孔子作春秋，以其文郎國不明風化，不聞治亂，不傳於朝，故置之不載也。

南詔傳

初趙衞陽王時，爲漢兵南侵，及宰相呂嘉敗死，趙氏遂亡。漢幷其國，分置守令。趙之子孫散之四方，後復會於神符橫山，造成舟艦，以時駕海入賊境，掠刼海濱，因殺守令，吏多畏之，呼爲南趙，後訛爲南詔，因襲其號焉。迨三國時，吳孫權命載良、呂岱等爲牧守以治之。南詔至天擒山（奇華縣河中社海口門也），望海岸長沙，天高水深，波濤汪汪，絕無人跡者居之，常以刼掠爲用度之費，守令不能禁。其衆稍盛，遂以珠玉賂婆夜國（今義安道），求爲婚姻，以相救助。至晉末天下大亂，有土酋魏翁、李奕等，亦趙之苗裔，兄弟衆多，勇略過人，爲衆所宗。與南詔連兵，衆至數萬，又以珠玉賂婆夜國，求隙地以居之。婆夜王許之，於是以海濱源頭相雜分爲二路：一路上自峰山，下至演州，南詔魏翁、李奕居之；一路上自虁州，下至驩州，爲茹羅路婆夜居之，與交盟約，結爲兄弟之國。於是南詔築於高舍，郎居之，自立爲王，有土地，東至於海，西抵巴蜀，南接婆夜，北夾九眞。東晉命曹耳將兵擊之，晉兵至，則解散，去，復屯結。既據源頭險要，伏象以擊之，又出海外山末以避，更出迭入，四五月餘，未常對陣。晉軍不耐水土，爲障嵐所攻，死者太半，遂收兵北還。

南詔起於西漢，而立於晉末，歷至隋唐，尤爲強盛。唐懿宗命高駢擊之，亦不能克。至五代時，石敬唐（塘）命司李進將兵擊之，南詔大敗，奔附哀牢，遂號頭謨國（紫謨郎大號也）。又常以刼掠爲資用，時發時止，未常息焉，至今猶或有之。

士王傳

按三國志云：王姓士，名燮，蒼梧廣治人也。其先祖魯榮陽人也，避王莽之亂，而立王父賜，歷六世矣。賜侍漢桓帝，爲白南太守。王少時遊學漢京，治左氏春秋，獻帝聞之，賜書使督七部，領統交州太守如故。王乃遣使張旻奉使，詣漢京修職貢，漢帝復下詔，褒稱拜爲安遠將軍，封龍度亭侯。後屬吳王孫權，封左將軍，乃拜二子爲郎中。王乃貢方物，吳王輒厚賜慰答之。又拜王弟爲合浦太守，䵋爲九眞太守（今清華處也）。王體貌厚寬，虛懷待人，避亂多歸之，民號爲王。

壽九十歲，在位四十年，尤善於調燮元氣，訓化人才，自是南國文風與北國同，其後盛矣。及王薨，葬於嘉定三極村。歷至晉末，百六十年餘。林邑入寇，發開王陵，見其全體不壞，顏色如生，乃大懼，葬之。至唐咸通間，高駢平南詔，過其境，逢一異人，容貌秀麗，衣冠奇偉，遮道相揖。駢大悅，延至墓下，與語三國時事，出入相迭，倏然不見。駢怪問其故於村人，皆以士王墓對。駢嘆息久之，遂吟詩曰：

自魏皇初後，相來五百年，唐咸通八載，幸逢士王仙。

然而遠近祈禱，必彰靈應。陳太宗追封為「善感加靈應武大王」，至今為福神。

布蓋王傳　出天南古跡

王姓馮，名興，唐林人也（今福祿縣），王甚雄勇，能排牛搏虎，又多豪富。唐大歷初，因交州之亂，與其弟駭率衆鄰邑，自號「都保」。與都護高正中相拒數年，後用本鄉人杜英輪斤率衆圍正中，正中憂憤成疾，發背而死。王因入府治事，未幾，薨。子得宗為「布蓋大王」，蓋以蠻謂父曰「布」，母曰「蓋」也。王能顯應，欲以為神，乃立祠於都護府之西以事之。即「孚祐彰信崇義布蓋大王」是也，在今盛烈坊籍田東西焉。

金龜傳　出嶺南摭怪

初，安陽王嘗築越裳城，（今東岸縣城，即螺城，又謂之思龍城。唐人謂之崑崙城，以其城之最高也）。隨築隨崩，王患之，乃齋戒禱於天地神祇。時春三月，有人過門外，指城笑曰：「此築何時成乎？」王知其爲非常人，乃迎接入城，問之，答曰：「待江使來。」即辭去。次日早，王出城外，見金龜從東方浮江而來，能作言語，自稱江使。王甚喜，以金盤盛之，置於殿上。王問以城崩之故，答曰：「此本土山川精氣，前王子附，爲國報仇，隱於七曜山之中。有鬼，前代伶人，死葬在此，化爲妖鬼。山傍有館，主翁名吳空，有一女关（并）一白鷄，是妖鬼之餘氣。凡人往來，至此宿泊，必至此鬼害之也。所以積聚成群，而爲城壞。若殺白鷄，除此精，則城自完固也。」

王將金龜就館，假爲宿泊之人。館翁曰：「郎君速行，勿留守取禍。」王笑曰：「生死有命，鬼魅安能爲之。」遂留宿之焉。夜及三更，鬼精果從來，呼開門。金龜叱之，鬼精不能入。鷄鳴，嵩鬼遂散去。金龜請王追躡之。至七曜山，得古樂器幷枯骨，王合（令）燒散之於江，妖氣遂滅。王歸，復興功築城，八月而畢，金龜辭去，王深感酬恩，乃謝且請：「荷君，城已固矣，倘有外侮，何以禦之？」金龜脫一爪付王，曰：「國之興亡，自有天數，人亦防之，倘有賊來，用此爪爲弩機，向賊發箭，君無憂矣。」王大喜，乃命皐魯造弩，名曰「靈光金龜神弩」。

時趙陀知王有神術，爲其子仲始求婚於王。王許之，遂納仲始爲贅壻，以媚珠女焉。仲始誘見其弩，潛換其機，詐爲失手而助之。一日，仲始告以歸省，謂媚珠曰：「夫妻之情不可忘，夫婦之恩亦不可斷，倘或後來不和，何以相見？」媚珠曰：「妾有鵝毛錦薵，常附於身，到處置岐（歧）路示之。」仲始與沱舉兵擊王，王圍碁，聞之笑曰：「我有神弩，何不畏耶？」趙兵逼近，王弩折，敗走。王鐘愛媚珠，置於馬後，媚珠近於岐（歧）處，放鵝毛以表之。仲始隨認，追至南海夜山高舍村（今屬演州），王大窘迫，大呼曰：「吾事畢矣！」忽見金龜湧出，曰：「馬後者，賊也。」王始覺，欲殺之。媚珠曰：「臣子一心忠孝，墜人之計，死後願爲明珠，以雪讐恥。」王殺之，流血水下，蛤蜊含之，化成明珠。金龜導王入海，蜀氏遂亡。始至，見媚珠已死，乃抱其屍慟哭，歸葬螺城。仲始惆悵殊惜，悲不自勝，遂投井而死。今人採得東海明珠，以井水洗之，其色愈光瑩焉。

龍爪傳

出天南古迹

昔李南帝爲梁兵陳伯光所敗，退保野能，委大將趙光復率衆禦之。光復以伯光軍勢甚盛，難與爭鋒，乃退保夜澤。其在東鳶（東安縣），囧回不知數里，草莽蓁蕪，蘆荻交蔽，中有基地可屋，四面泥淖沮洳，人馬難行，惟用獨木舟棹行於草上，乃可到也。然非諳知岐（歧）路，則迷不知遞，誤墜水中，爲蛟龍所害。光復諳脈路，率二萬人屯澤中，晝則泯絕煙火，夜則出軍襲擊，殺傷甚多，獲儲爲用度之費。伯光躡而攻之，亦不能得，國人號爲夜澤王。梁人不知其處，難與爭鋒，嘆曰：「古人謂一夜升天，信矣。」光復以梁兵不退，乃焚香致禱於天地神祇，見神人乘黃龍從天而下，自稱褚童子。曰：「我本一心忠孝，得飛龍之術，今王誠心懇禱，故來相助。」言訖，脫龍爪付光復，使置於兜鍪，所向，賊必破敗。光復叟拜謝之。

時北國侯景作亂，梁主召伯光還，委裨將楊孱代之。光復縱兵襲擊，大破之，孱敗死，餘兵散歸。時南帝既崩，無嗣，族兵立族將李佛子爲帝，以繼其統。佛子來，與光復戰於太平，五接皆敗，疑光復有奇術，乃請禮和。光復以佛子爲南帝族，不忍遽絕，遂許割界君臣州（今慈廉縣上葛、下葛也），居國之西。後佛子爲其子雅郎求婚王女杲娘，王許之，然復鍾愛其女，遂納雅郎爲贅壻。一日，雅郎謂杲娘曰：「兩父昔爲仇讐，今成和好，不亦善乎。然此父何術，能却彼父之兵？」杲娘不知其意，密取龍爪兜鍪示之。雅郎潛易其爪，托以歸省，與佛子舉兵攻王。王不覺，倉卒督兵，披兜鍪，立以待。佛子兵益進，王知勢窮兵敗，乃携杲娘南走，至大雅海口（一名大惡，李太宗改為大安縣也），忽得文犀七寸（文犀，即辟小犀），乃持入海去。佛子至，不知所知之，遂引兵還。復以靈異，遂立祠以事之。

徵王傳　出天南古迹

王姓貉，名側。妹名貳，峰州麓冷人（今文江縣），雄將之女也。初嫁朱鳶人（東安縣）詩索，亦貉侯之子也。王性雄勇，有義氣，能總決大事。時交州刺史蘇定苛虐貪暴，州人苦之，詩索作古今爲政論以切諷之。曰：

竊聞政者，為治之具，而政之為政，在乎得民而已。試常觀之，子游宰武城，綽有弦歌之誦；子賤治單父，藹有得人之稱。近則吳公治平第一翁，治郡高第，彼誠達於政體矣。他如子路，以正名論為迂，有野哉之責，太叔以水火言為惑，遂成萑符之悔，未識時政之宜矣。今子之為政，忠言嘉謀者先罪，奔走承順者大賞，閹宦專其權，宮妾預其事。雖愛民之令，無時無之，而刻薄之心，愈横愈烈，浚民膏以豐其財，竭民力不勝其役。自謂富彊，凜有太阿之勢，不知傾敗，誠如朝露之危。如此而不濟之以寬，則危亡立至矣！」

定見大怒，以爲謗己，遂執詩索而殺之。王於是憤怒激烈，乃與妹貳舉兵，移檄諸郡。其辭曰：

元惡大憝，久藏狼野之心；敦德仁人，庸大勦除之舉。星馳寸簡，雷動三軍。眷言我國開基，實自雄王撫治，官安民樂，人多足下生毛；雨順風調，麥盡一莖兩穗。卜世循循較下，歷年永永計千。爰及陽王聿更，趙武相時，厥德厄運，偶遭熙載、周章、魏郎之徒，更相守郡；鄧讓、賜光、杜牧其輩，繼作牧州。故雖有貧廉不同，然未有苛虐之甚。奈茲蘇孽妄肆貪殘，賊蒼生而貴象犀，輕賢才而重犬馬。開金場則寒侵人骨，易色破皮；採明珠則渙摘斂驪，百行一反。厚斂而甕傾倉掃，煩刑而屋比鄉連，民不聊生，物皆失所。予以天潢餘派，雄將後昆，憫赤子方陷時坑，不能安枕；協人謀而興義衆，正切除殘。汝曹均得性靈，系同鼻祖。國讎當復，奮臂張繁弱之弓；異種悉鋤，洗戢盡天河之水。鴻業以之再造，雁宅以之息嗷。衞社稷，枕干戈，維其辰也。立功名，垂竹帛，顧不韙歟。倘或尚狐疑，俱存猶豫，擻列明章，汝當自勉！」

諸郡聞之，悉皆響應，遂攻蘇定。定大敗，還南陽，漢光武大怒，貶定於儋耳而死。王於是略定嶺南六十五城，自立爲王，乃改姓徵，都朱鳶城。

漢光武使馬援、劉隆等將兵來侵，王與漢兵相持於浪泊。踰年，王兵不利，退保禁溪。時漢兵多爲嵐障所攻，援不勝憂懼，乃焚香再拜，禱於鬼神。一日，見老人偕遊歡笑，前來參謁。援喜，再拜，迎問以治障之術。老人教以服薏苡，能輕身，勝障氣。援問以他事，而老人已失所矣。援喜，採而服之，障氣盡除，兵威復振。忽有狂風雷雨大作，王舟師沉溺，步軍錯亂，漢兵乘之，王兵大敗，陣陷而亡。或云：登希山，不知所之。其妹貳復收殘卒，分據要險，以圖恢復。時又不利，陷沒於陣。國人思之，立祠喝江口以事之。凡人所禱，無不靈應。及李英宗時，遇旱而禱，已而雨降，寒氣逼人。英宗大喜，頃之，思睡。見二人戴芙蓉冠，著綠衣朱裳，而駕鐵馬隨風雨行至。帝問之，答曰：「我二徵姊妹也。奉上帝勅行雨。」帝諄勸益請，乃舉手止之。忽然帝覺，勅重修祠廟，以太牢祭之。後乃托夢於帝，請立祠於古來鄉，帝許之，加封「貞靈二夫人」。後陳太宗贈封「威烈制勝貞純保祐」諸靈字，至今香火無窮。

媚醢夫人傳

夫人失其姓，名醢，占主乍斗之妃也。李太宗時，占城不修職貢，太宗征之，占主乍斗率兵禦於刪練，尋爲王師所敗，乍斗死於陣，帝俘其妻子以歸。至莅仁江，帝遣中使召醢夫人，夫人不勝怨念，遂以白氈自裹，投江而死。帝聞之驚悼，令人收斂以葬之。自是而後，每於霜晨昏夕之際，常聞哀怨之聲。衆人異之，率相告曰：「此人生能全其節，死能聚其靈，血食百世，非斯而誰？」於是咸有敬畏之心，立祠以事之。

後太宗巡行至此，見祠鮮研於江岸之上（今南昌縣莅仁府），帝怪問之，左右以實對。帝爲之惻然，曰：「果有眞靈，切須告朕。」是夜托夢於帝，身著占衣，登於御舟，且拜且哭，曰：「占主雖不與陛下抗衡，然亦一方之得志也。妾每蒙恩寵，頃因失道，上帝譴責，假手於陛下，妾等爲所俘虜；然妾聞婦人之道，從一而終，國破軍亡，社稷墟冶，日夜窮思，無由可報。幸陛下送死於水雲鄉，庶幾瞑目矣。又何敢擬眞靈談能聽乎？」言訖，茫然而去。帝大驚而覺，乃命侍臣具牲醴祭之，褒封「協正夫人」。陳重光時，加封「佑理貞烈直猛」諸靈字，以表端正之節焉。

乾海夫人傳

按：本傳云：夫人姓趙，南宋公主。時端宗播遷海嶠，以病而崩，丞相文天祥等，立端宗弟芮爲帝，以紹大統。未幾，天祥兵敗，爲元所擒北去。大將軍張世傑移帝船於崖山，元人張弘範襲之，宋師大敗。丞相陸秀扶（夫）抱帝沉於海，世傑亦溺死，宋室將士溺死十餘萬。夫人母子三人抱一板抵海外，飢困無所聊寓。山有寺僧，見而憫之，爲之保養，得旬月間，肌體完故，容儀甚美。僧見之，禪機易動，海愛漸生，無以自遏。夜及更深，遂至求通。夫人拒之甚嚴，僧悔來羞怍自沉，我亦何所生爲？」乃自投於海，二女亦隨溺焉。僵死，漂蕩於我國演州乾海門，抵於峰上，相人見之，曰：「人彼僵至此，不知幾千里，海道險要，而衣裳不亂，容貌儼然如生。自非靈異，曷克臻此？」遂收斂葬之，自是客船往來至此，有風波危急者，誠心懇禱，頃刻復安。其清華諸海門，亦立祠以事之，至今爲福神。

卷之二

越井傳

越井在武寧鄒山也。雄王時，殷王來侵，至鄒下，求救於龍君。化爲扶董天王，乘鐵馬以擊之。殷王敗死，化爲地府。君民立祠歲時奉祀，經久寢廢，基趾（址）荒蕪。歷至秦時，有國人崔亮，仕秦爲御史大夫，經至祠下，見其荒蕪，遂重修祠廟，焚香致拜，又立石碑以顯之。遂題詩云：

古人道德是殷王，巡狩當年至此方。水秀山清空見廟，源頭山下只虛空。
員將勢敗無湯德，猶著威靈顯越裳。百姓從玆皆奉事，默扶國祚永無疆。

民於是又奉事香火如故。後任囂之相趙陀南征安陽王，駐營於此，復修祠宇壯麗，榮奉香火。殷王欲報崔亮之功，使廝姑出境求之。時崔亮已死，此亮之子偉，尙在遊學焉。時適遇上元節，士女遊戲於此祠，或獻玻璃瓶壹雙，廝姑特地破毀，爲者所執，箠楚甚困，偉憐之，爲之救解。廝姑問其所居，偉具道其所由來。知其偉爲亮子，喜謂偉曰：「妾今困無報，姑予艾一束，君可帶之，勿離於身。如人有了瘻疾，以此炙（灸）之，必得大富。偉受之，不知其爲仙人也。

偉至親友應玄家，玄有瘻疾，偉以艾炙（灸）之，應手而消。玄曰：「仙藥也，不足以報，願以別恩待之。我有親識貴人，亦患此疾焉。君治之，必有好官之遇矣。」遂薦偉於任囂，囂使偉炙（灸）之，疾亦應手而愈。囂大喜，甚寵愛之，使開堂賜學，以侍欽問。偉性通敏，好鼓琴讀書。囂女芳蓉見而悅之，遂與之私通。囂知之，欲置之死地。時歲終，祠猖狂鬼而未得其人，囂欲以偉供祀，乃誘之曰：「今日不可行，恐遇猖狂鬼，汝宜入公廨房以避，無令他後悔。」偉以爲然，遂入房。囂使愼其門，偉不得出，知其爲囂所詐，乃大懼，徬徨計無所出。頃之，芳蓉賜偉以刀，偉鑿壁而出。偉乃暗行應玄家，未及至，而東方已漸明矣。偉恐有人躡後，遂避入山中，忽墜一穴，約更餘始至穴底。偉痛，臥一時方能坐。日至午，始照穴中，見四面屹然，如壁立而已，傍有石乳流於盤。倏然有大白蛇，長准九八尺，黃角赤口，青髮白鱗，頷下有肉瘻，額上有金字。曰：「王京子來食石乳。」偉驚懼隱匿，已而蛇復入災穴。偉居三日，飢困，度無生理，乃盜食石乳。及蛇出，見空盤，舉首四顧，見偉在側，張口欲呑之。偉恐懼，羅拜曰：「臣避難偶墜於此，無充飢渴，誤食王物，誠有罪矣。今見王頷下有瘻，乞治之，庶免臣罪。」蛇聞之，遂仰首使偉治。忽有一片火落穴中，偉取彖（炙）之，瘯尋愈。於是蛇向爲前，欲使乘之，偉乃附於背。蛇飛騰，頃刻達於岸上。偉下地，蛇復入穴，不知去處。忽見城門高閣殿宇巍峩，蓋以赤風玲瓏，闍門照耀，門上有金榜題金字，曰：「殿王城」。偉坐門外，久之，寂無音耗，望見大庭，見有蓬池，五色花池中，槐柳數行，清涼可愛。街甎坦然，玉殿珠宮廊廡軒豁中，設金龜床，鋪以銀花席，上置一條琴，寂無人焉。偉徐來抱琴而歌鼓，未及終曲，忽見金龜數百輩，侍從儀衞，開門而去。偉視，驚，下庭拜伏。后笑曰：「崔郎何處？」乃接之升殿，謂曰：「殿王皆及雄王陣亡於此，往年祠廢香火無聞，賴崔御史重修，使人效之，崇奉香火，至今無窮。深恩未報，昨令厤姑尋之不遇，今幸見君來，無以待之。且上帝有事，王已朝矣，姑且少坐。」乃賜以酒食，頃之，見一人長鬚大腹，奉表跪曰：「正月三日，北人任囂爲猖狂鬼所殺，奉畢。」后謂之曰：「羊官人可接崔郎。」羊官人使坐於肩上，閉目，一瞬間已到山上。只見石羊卓立。偉驚異，再拜而去。

及至應玄家，具以事告玄。後八月，偉出遊，適遇厤姑帶境璲來，結爲夫婦。及秦末，天下大亂，珠寶略盡，時商人望見南方寶氣冲天，遂來求之。蓋境璲者，自開國以來，雄王有十二寶。一以貢黃帝，傳至殷王，帶之以攻雄王，及死，埋於地，至是以賜偉。商人欲得其寶，悉罄所有以易之，偉於是大富。後夫妻從而學道，顯靈化仙。今井已汚穢，而穴尚存，俗呼爲越井崗焉。

西瓜傳 出嶺南摭怪

昔雄王之時，有外國人，年六歲，商人載來，予之爲奴。及長，容貌端正，通達辭理，王甚愛之，號為牧偎，名安暹，而以奴婢子妻之，寵任以事，牧偎有口辯，人多褒之。苞苴踵門，卒成豪富，遂生驕傲之心。常曰：「是我生前之物，何事主恩？」王聞之大怒，曰：「彼為臣子，不欽君上之恩，妄自驕傲，今姑置之海外無人之地，有生前之物，任汝為之。」遂放牧偎處海外沙山，絕無人跡。囊橐之具，纔用五六月而已。其妻哀悲曰：「此無生理。」牧偎曰：「天既生人，天又死人。生死於天，又何憂乎？」已而白鳥飛從西南來，止於山陽而鳴，其聲啫啫，口中落六七核於沙。經數日，芽苗萌發，蔓葉茂盛渤淹。旬月，開花結實，子熟離離。牧偎心中暗喜，試取食之，見其味清涼甘美，爽這精神。乃謂其妻曰：「此非輕物，乃天所以助我也。」於是時時種發，不可勝食，而未知菓之名。乃以鳥從西過海而來。因號「西瓜」，乃「過」字之訛也。牧偎自是每見舟商船漁過此，則招來與食，人多愛其涼美，遂罄其所有以易之。牧偎後成豪富，不減前程。後王使人探問存亡而歸，具以事告王。王嗟嘆久之，曰：「彼謂前生之物，誠不虛說！」遂徵還，復其職。於是傳之遠近，亦於沙洲一時種此。牧偎為西瓜父母，時祠之而已。牧偎所居之洲為安暹洲，其莊曰牧莊。今清華處峩山縣安暹洲。

蘇瀝江傳

出嶺南摭怪

初唐咸通間，高駢為安南都護。駢能通天文地理，乃築城瀘江之西，周圍三十餘丈以居之。有小江從瀘江入經，在南婉回曲始大，羅城末流復入大江。時六月，水雨漲溢，駢乘輕舟順流而入。忽而江裏見一老人，鬚眉皓白，容貌奇偉，游泳於水中，談笑歡喜。駢問之曰：「叟家何在？姓甚名誰？」答曰：「家在江中，姓蘇名瀝。」言訖，泊水晦冥，倏然不見。駢愕然悚懼，焚香再拜而歸。因名其江爲蘇瀝，蓋以其神之姓名而遂目之焉。

范巨傳

按：史記：公姓范，名巨你，武安人也。其先祖占，事吳，爲銅甲大將軍。父蔓事南晉，爲都護，兄溘事丁先皇，爲衞尉，巨你事黎大行，爲太尉大將軍。歷李太宗時，以都護府多疑獄，士師不能決，擬立神祠以主之。乃沐浴焚香，詣告上帝。夜見赤衣使者謂太宗曰：「上帝有勅，賜范巨你爲都護府盟主。」太宗顧問曰：「彼是何人？典何職局？」使者曰：「此乃黎大行太尉也。爲人盡忠。及去世日，上帝勘較有功，補南曹中司，錄其舊秩，今命典按人間疑獄主也。」太宗忽然而覺，召語左右。罕據對曰：「此是善人名宗子弟，即占之孫，蔓之子，而溘之弟也。此爲盟主，疑獄即有平決之效焉。」太宗以爲然，遂封爲「洪聖大王」，以主疑獄。是夜見一人衮冕，趨庭拜謝，一如禮儀。及覺，帝深加賞嘆，遂命撰文鐫於堅珉爲記，以顯殊迹焉。

其言文曰：

人有常守底，循其序而進焉，神自為高虛，在乎善以充耳。眷言我武安人范巨你，孝忠大節，閥閱名家，厥後王足委北一宿便好底人，而積種陰功，多資大母之德，繼以尊家。祿中千石，素稱君子，而增培仁脉，又尊為勸焉。爰及范公前業，思貫乘風擊浪，尤愈加跨竄撞煙，聳壑昂霄，心益篤，盡誠致敬。生前旣當好得，沒後豈泯餘靈。比聞上帝，降衆綸，賜監（盟）主。昨想夢中來謝。恰合節符。蓋聞顯應之靈，盍著表揚之跡。爰封為「洪聖」，以彰神能見之英，乃使監典刑，默扶國無疆之福。茲鐫於石，以廣其傳。」

銘曰：

人由常以進，神自善而充。料想名家子，兹惟范令公。

祖委一宿北，父秩千石中。爰及他令子，深恩賁前功。

聲名兹有立，職分酬當忠。節既前表表，慶宜及重重。

帝綸音一降，神血食無窮。又能有靈應，刻碑遂命工。

其傳令久遠，默扶國綿洪。

通端萬萬年之二，仲春穀日。

二張兄弟傳

初丁少帝時，宋太宗命孫全興、侯仁寶等將兵南侵，至大灘江，帝命十道將軍黎桓率衆禦之，至瀘江對壘相拒。桓夜夢見二人來拜於江上，曰：「某二張兄弟，一名吼，一名喝。前事吳王，常從征伐有功。從吳氏亡，丁先皇聞某等之名而召之。某等義不事二姓，飲鴆而死。上帝嘉其忠誠一節，有勑命爲神，管欽鬼卒，防禦盜賊。今宋兵來侵，爲生靈之苦，故來相助，以除亂賊。」桓失驚而覺，以語將佐。遂焚香再拜，祝曰：「神人能與共成功，則褒封血食無窮。」於是以太牢及衣冠冥財飛馬，祭而焚之。十二月甲子夜三更鼓，忽有狂風暴雨大起，天地昏黑。見一人於宋軍中，縱身長大，厲聲言曰：

南國山河南帝君，丁寧已定在天書；謂河逆虜來侵伐，汝等枯骸不葬收。

宋主聞之大驚，狼藉完潰。桓引兵乘之，大破宋師。死屍相枕，全興等北奔，桓整旅而歸。時桓篡丁踐天位，乃思二神之功，封吼爲「威靈大王」，立祠於龍眼江岐。封喝爲「刼敵大王」，立祠於如月村。各以太牢祭之，村有書生見之，意其不平，乃作義利論以激之。其辭曰：

君子從義而不從君，正所以從也。小人惟利是從，正所以不從也。嘗聞二公盡忠於吳，義不臣丁。非且以丁非吳之世讐，而得天下為甚正，苟事之，未為害義。而公等猶嫌其二姓，伏義死節，不苟富貴，大有烈士之風，於義是矣。今黎桓為丁之大臣，掌國權柄，恩遇甚厚，一旦丁君晏駕，乃利人之災，欺人之弱，而篡奪神器，遂踐君之位，蒸君之妻，曾犬彘之不若。昨聞公君之守義，心慚面赧，若無所容，奈何從而助之，以成威勢？蒙他顯賞，血食百世，於是營利謀身，何生死之守，各二其操耶？此吾所以不平也，不得不為公而論。

論畢，將至祠下，各讀一遍，焚之而歸。後就房觀書，忽然欠伸思睡。見二人來，一著白衣，一著赤衣，前接曰：「奉令吾主召君矣。」即導之左行，及數百步，已見二人出迎，攝延入坐。語曰：「向者作論，何見深責耶？今爲卿陳之，我輩於前朝有功，又能盡節，奉上帝封爲神。一領白衣鬼卒，一領赤衣鬼卒，各保江河盜賊稼穡之事皆主之。頃者，宋人爲寇，殘害生民，吾職當爲勦除，而不能顯著，故借彼之力以相助耳。至於篡奪之事，我何預哉？彼既以不仁，禍將至矣。安得傳之子孫，而不滅亡乎？若夫利彼之爵，非吾之志也。極知吾之守義之言，彼咈彼意，心無所舉，但彼以吾有功，不得已而虛加之耳。且吾既奉上帝勅命爲神，縱彼不封拜，寧能已乎？而卿反責我以利，此我不能自已，故爲卿言之。」書生曰：「誠能如此，則眞是神明矣。吾何譏哉？」於是撫手大笑，酌金罍爲餞。生博身一覺，乃是諄諄如一夢耳。以其事語村人，村人益加敬畏，崇奉香火。

朔天王傳

按禪苑集錄云：初丁先皇時，巨越人姓吳，常遊衞靈山，愛其景幽勝，乃立庵居之。夜夢神人，身長數丈，被金帶甲，左執金鎗，右擎寶塔，狀貌可畏。從者千餘人，前來謂吳曰：「我昆沙明王也，從者皆夜叉衆。上帝有勅，命我探北國之地，保此下民。於汝有緣，故來相告。」吳大驚而覺，俄聞山石間有可喝之聲。吳甚疑懼，乃旦入山中，見大樹枝葉鬱茂，有祥雲蔭覆其上，乃命工伐之，刻爲神像，如夢中所見，立祠以事之。歷丁少帝時，宋兵南侵，帝素聞其事，命吳詣祠禱之。時宋兵屯西結，兩軍未接，忽見一人湧出波上，縱身長數丈，首髮上指，瞋目而視，神光閃爍。宋兵大驚，退保峽江。又遇風波，洋汪振蕩，蛟龍踴躍奔馳，衆皆驚惶，郭達乃拔寨而歸。帝嘆其靈異，又增葺祠宇以祀之。或云：董天王掃平殷賊，乘鐵馬而歸至衞靈山，登山頂至鎔（榕）樹處，冲天而去。遺衣於樹下，人謂「易衣樹」。凡有所禱，用茶菓餅而已。歷李時，欲便所禱，乃立祠于西湖之東，載在祀典，至今香火無窮焉。

龍肚神傳 出天南古跡

按杜善史記云：神本龍肚之精也。初駢爲安南都護，築大羅城以居之。一日，駢出遊東門，忽見雲露大至，有一道五色雲送出，光芒奪目。中見一人，身長數丈，衣冠奇偉，乘赤黃虬（無角龍也），手執金簡，蟠旋於其中，良久不見。駢驚異，以爲精神，欲設壇以禱之。是夜夢見其人曰：「公勿生疑，吾非妖氣，乃龍肚精也。以公新造城府，故顯見之耳。」駢愀然而覺，以語僚屬。或曰：「吾不能服遠人也哉。何鬼外之窺伺，爲不祥之事乎？請立壇場，設爲形像，用鐵爲符，重千斤，呪誦三日夜，埋於其處以禳之。」駢以爲然，遂行之。忽見天地窈冥，雷霆轟烈，風雨驟至，頃刻之間，復見其符拔出地上，盡碎爲灰。駢大驚，嘆曰：「此處有靈異之神，不可久留。吾當北返，不然將有禍凶之事矣。」未幾，僖宗有詔徵還，駢果被誅，以高鄒魯代之。自是人多敬憚，立祠於京師市側以事之。後來太祖建都於此，夢神人來賀。上曰：「汝能保億年香火耶？」對曰：「但願國祚綿洪億萬年之久，不啻神人保億年之香火也。」及覺，以牡醴祭之，封爲「昇龍城隍大王。」時有大風振蕩，破壞屋舍，而其祠晏然，又封「貴明大王」。凡有迎春之禮，率用於此祠焉。歷陳朝屢有火災，而其祠未常延及。陳光啓有詩云：

昔聞赫濯大王靈，今日得知鬼膽驚；烽火三燒祠不動，風雷一陣鐵成輕。
指揮摧制千餘衆，呼吸消除百萬兵；願伏餘威摧北敵，山河依舊晏然清。

凡京師之民，多所敬重，至今爲福神。

皋魯傳

按杜善史記云：姓皋名魯，武寧人也。事安陽王，爲將有功，貉侯疾之，譖於王。王信之，斥歸田里而亡。及唐咸通間，高駢平南詔，巡行武寧部，次於地頭，觀遊其景，凜然有英風氣接人。已而就寢，見一人身長九尺，右面稜層，著赤裩束帶來謁。駢問之，答曰：「我姓皋名魯，事安王，有破敵之功，爲貉侯所譖見廢。既沒之後，天帝憫其無過，勅賜江河管領。凡寇賊稼穡之事，皆得主之。今既明公討賊，區宇泰然，復至本部，於禮不可不謁。」駢問曰：「貉侯可見疾？」對曰：「幽冥之事，不可漏洩。」駢請之。笑曰：「安王金鷄之神也，貉侯白猿之精也，我石龍之精也。鷄猿相合，與龍相尅，故見疾疑。」言訖，騰空而去。駢忽然而寢，乃是一夢場也。以語僚屬，遂吟詩云：

美哉交趾地，悠悠萬載來。古賢能得見，終至負陽臺。

其見靈應如此，俗呼爲「大灘都魯石神」，至今香火無窮。

銅鼓山神傳

按報極云：神本銅鼓山灝氣之英也。其山在安定縣丹泥上社。而李太宗爲太子時，太祖命提兵伐占城。至安場駐蹕，夜夢見異人，著戎衣常（裳），謂太宗曰：「臣銅鼓山神也。今王南征，願從王師，以立戰功。」及覺大喜。後平占城，班師而還，乃立祠於京師之左慈恩寺以事之。及太祖崩，太宗奉遺詔即位。是夜，夢見神人謂太宗曰：「翼聖東征武德三王謀不軌，明日三王已伏兵於內，急收諸門。」太宗命黎奉曉以兵拒戰。奉曉領命，拔劍開門，至武德軍大呼曰：「背義忘恩，窺窬神器，蔑視嗣君。奉曉請以王頭爲獻！」於是直趨武德王，斬之。東征翼聖皆驚遁，其徒走散，內難悉平，如有神威之助。太宗乃褒封爲「天下盟主」，每年四月會百官，盟誓其文曰：「爲臣不忠，神其殛之！」自是人多敬畏，崇奉香火焉。

按史記：黎奉曉乃清華那山人也。身長七尺，勇悍有威。梁江人有借力借聞者，公能拔苗芽，連根舉之。至是平內難，其過敬德遠矣。今有從征占城，擒其主乍斗，豐功偉績，名播遐邇。及薨，土人爲之立祠以事之。屢有顯應，歷年贈封王爵。

李服蠻傳

按杜善史記云：公姓李名服蠻，唐林安所人也。身長八尺，體質豐碩。至李南帝爲大將軍，南帝令將軍守唐林，以病而終。後李太祖巡行至安所鄉，見山奇水秀，恍然有感，遂索酒酹之。祝曰：「朕見此地風景殊勝，倘有傑人俊士灝氣英靈者，爭朕明享。」祭畢，遊觀美景，日落而罷。是夜夢見一人，高大豐偉，前來拜曰：「臣本鄉人，姓李名服蠻，事南帝爲將，以忠烈得名。命守唐林之地一帶江山，民皆安居。旣沒之後，天帝嘉其忠勇，勅命守職如故。常領鬼兵討賊，於茲有年矣。今幸遇陛下，待以殊禮，敢不來謝。」旣而從容吟曰：「海內罹塗炭，賢人匿姓名；中天明日月，孰不見其形？」吟訖，騰空而去。帝覺之，冉冉而覺，具以其事告臣僚。御史大夫梁文俚曰：「此要欲顯立祠廟，塑繪形像之意耳。」帝令人置環蛟得吉地，遂命爲祠。刻木爲人，塑繪其像，一如夢中所見，封爲大神。是夜見其人來謝，帝欲問，忽失所在耳。及覺，嘆息久之。逮陳元徽日，韃靼入寇，過其境，馬跪不進。有策馬入者，村人率衆拒戰，大破之，虜終不敢入。後入寇所至，燒殘屋舍，曾經其境，而鄉不動，如有神護，及其旣平，加封「征虜明高」諸美字，至今尤顯赫焉。

沖天王傳

按古法記云：神乃建初寺土地神也。昔扶董鄉立土地神祠於此，後僧徒立建初寺於祠之西北，歲月尋侵，卒成一場佛寺，遂以其祠爲誦經所焉。然鄉人猶以爲神祠，隨時禱祭。其多寶禪師重修祠字，侍燈持註，以神血食爲不齋，意欲移之。忽於榕樹題詩云：

佛法能容博，聽吾住淨園；若非其種者，任子別分遷。

多寶見之，震懼不敢言移。後數日，復見八句偈云：

佛法慈悲大，威靈覆大天。萬神皆變化，三界共迴旋。
吾子能持正，邪魔孰敢先？知神師法戒，萬刼保祇園。

多寶見之，乃設壇爲神受五戒，遂以齋戒祭之。

初李太祖潛龍時，常善多寶，常與之遊。至於已受禪登極，忽憶舊遊，嘗幸其寺，時多寶迎王車登寺，厲聲謂神曰：「佛子既能落俗，又能慶賀天子乎？」忽於榕樹見四句偈云：

帝德乾坤大，威靈振八埏；幽陽蒙惠澤，優渥那冲天。

帝大驚異，因賜號爲「冲天神王」，乃命立神像，及侍從入軀，以爲瞿雲沙彌之具（僧落髮稱沙彌）。復見詩四句云：

一鉢功德始，隨緣化世間；重重光眩曜，影沒日登山。

多寶以詩進帝，帝不曉其意。後李朝入位失御，惠宗第八子諱昰，乃「日登山」之驗也。甚其顯應如此，至今香火尚在焉。

滕州土神傳

按杜善史記云：神本滕州土神也。初黎臥朝時，公蘊親典衞兵，食邑於滕。一日遊於此，忽有大風暴雨立至。顧謂左右，曰：「江皐是何神廟，能靈應否？」村人曰：「此古廟，土神也。」公蘊厲聲曰：「若却得一陣風雨，那個邊晴得是靈應。」頃刻間，一半江晴，一半江雨。公蘊驚服，乃命修葺叢祠，崇奉香火。人有詩贊之，曰：

美矣李公威望重，爽然土地著英靈；却教暴雨無侵犯，那個滂沱那個晴。

公蘊聞之，自有負威德之意，及謀大事詣祠求，夢見神人曰：「要勝克勝，要成克成。諸方皆順服，天下享昇平。三年民樂業，廟主也安寧。」公蘊覺，以語使使者。或言之曰：「是吉兆也。」及公蘊得天下，乃升騰州爲太平府，封其神爲「開封大王」。歷陳重光時，封「開天鎭國」諸美字。其祠在堤內，每於洪水泛濫，江邊水漲，村人常望見車馬兩蓋侍從遁行，若護水者。故堤雖旱而水不爲害。後經久，河崩，將近祠廟，歷皇朝總元丙戌移於堤上。基址旣成，樑棟具立，一夕吏士匠衆宿於堤上，見人來借畚揷。頃間，新廟間隱隱有聲，如沒作狀，達旦視之，已見轉面堤左三尺許，衆甚驚異，其靈應有如此也。知府黃南金有詩云：

分土州墟丕赫赫，開天玄妙仰巍巍；祠成欲識黃靈迹，但看神功妙轉移。

白鶴神傳

按趙公交趾州記云：神乃白鶴土神，名土令。唐永徽中，李常明爲交州都督，常見襟山帶江威儀凜凜，遂於白鶴地立大清館，設三像法以禱之。別開一幕，擬塑神像，而未知孰靈。乃焚香祝曰：「此間神祇，有能顯應，急現形像，得便塑繪。」是夜夢見二人，容儀俊雅，各擁兵器威，相叫相沒，趨向幕前。常明問曰：「公等姓名，爲孰先？」曰：「一名土令，一名石卿。」常明願較藝，勝爲先。石卿應名一躍到那江邊，已見土令在那江邊了，石卿再躍那江邊，又見土令在那江邊了。常明覺，遂塑土令像事之。其像深嚴可畏，州人敬奉爲三江福神。歷陳時，學士阮固征哀牢，拜謁，有詩云：

龜龍符印掛腰間，功業希求付妙官，賤質書生無所望，祇來祠下乞平安。

及學士王成務從征西蠻，凱還拜謁，有詩云：

貔貅百萬奮王兵，勢壓雲南塞外城，江左區區無足慕，勿勞鶴唳作威靈。

其見重敬於人，有如此爾。

后土神傳

按報極傳云：昔李聖宗征占城，還至海門，忽有暴風疾雨，颯然立至，波濤洶洶，船不能渡，乃泊於江岸。是夜，帝夢見女人，服素衣裙，淡粧婉娩，登御舟而言曰：「妾乃南國土地之精也，托棲於木久矣。今遇明君出征，願從王師以立戰功。」言訖，倏然而去。帝爽然而覺，召語左右及耆老。有僧惠生曰：「此神棲於木，可求而得。」帝於是命左右求之，偶得一木於峰上，頭似人形，婉然如夢中所見。命置船頭，焚香再拜，頃刻之間，風清浪帖；舟艦無振蕩之虞，士卒有踴躍之氣。旬日之間，達於占境，縱兵奮擊，大破之。帝班師而還，至於其處，勅立祠廟，封爲「后土神」。頃之，又波濤洶湧如初。惠生奏曰：「此神不欲僻居沙岸，如歆便回，必得晏然。」上從之，波濤復從而帖。及回至京，乃命立祠於安朗鄉以事之。歷陳英宗時，遇旱，築壇禱於祠下。帝夢見女人來，曰：「本祠勾芒神若能行風雨。」帝覺，命有司詣祠祭之。驟然天雨滂沱，勑封爲「后神夫人」，多有顯應，後贈爲「應天化育后土夫人」。

道行明空傳

李朝佛跡山天福寺有僧，姓徐名路字道行。初，路父榮仕李，爲僧官都察，常遊安朗鄉，娶曾氏女，因家焉。路，曾氏所出也。少事遊俠，倜儻有大志，嘗與儒者費生、道士黎全義、伶人潘乙相爲友善矣。夜則勤苦讀書，日則擊毬弄笛，父嘗責其荒怠。一日潛窺房內，見燈火闌殘，簡編堆積，路憑案而睡，手不釋卷，由是不復爲慮。後路應舉中白蓮科。（李陳時，有僧陸制試卽此科也。）未幾，乃父與道人延成侯謝大顛有隙，大顛以邪術殺之，棄蘇瀝江，流至安決橋大顛家，忽立而指，經日不去。家人懼，馳告大顛。大顛至，喝曰：「僧恨不備宿。」尸應聲而去。路思復父讐，計無所出。一日大顛外遊，欲邀擊之，忽聞空中聲曰：「止！止！」路懼，投杖而去。欲往印度國求靈異術以抗大顛，途經幽蠻險阻而還。遊佛跡山，結白蓮社，以受五戒，日常誦彌陀經至十萬通。一日見有人容貌磔偉，前來致辭曰：「我鎭天王也，感君持經功德，故來相報。路知道法已圓，父讐可復，乃至安決橋，以筑杖投急流水中，其杖逆流先行至西楊橋。路喜曰：「吾法勝大顛矣。」於是作藏形法，直至大顛所，叱之曰：「汝不記晨日之事乎？」大顛仰視空中，無所覩。因擊大顛，病死，自是睚眦怨除。戴天讐復，乃往叢林求眞印，聞喬智玄名於平化道，自往拜謁，問眞心。偈云：

久混凡塵未試金，不知何處是真心？願承指教開方便，擬向菩提斷苦尋。

玄答曰：

秘訣真傳直萬金，個中滿露是禪心；河沙景是菩提道，擬向菩提滿萬尋。

路茫然，不契而去。復見法範於崇雲會下，問曰：「如何是眞心？」範曰：「何難！了是不眞心？」路豁自得，又問曰：「如何保任？」範曰：「飢食渴飲，晝行夜宿。」路辭歸而去。自是衣鉢接傳，竿頭進步，弄象鼻以吐河，搖麈尾以折理，遂有清海慈航，昏衢巨燭之志矣。有小僧問路曰：「立行坐臥，如何是佛心？」路示偈曰：

作有如何有，為空一切空。有空如水月，勿著可空空。

時仁宗無嗣，會大慶年二月，清華人上言：「河濱沙洲有靈異小兒，三歲，自稱覺皇，陛下所好，無不知之。」帝遣中使往視，果如所言，迎回京師，居報天寺。帝欲立爲太子，群臣切諫不可：「彼成靈異，托生宮中，然後可。」帝從之，遂設大會爲托胎法。路聞之，曰：「此必大顚圖消怨府之計矣。」乃命其姊佯爲觀會，而密持結印、數珠埋於簷上。及三日，覺皇瘦病，語人曰：「偏滿世界鐵網羅罩，雖欲托生，無由得已。」言訖而亡，乃是大顚之計也。帝疑路呪解，命求之，果獲結印數珠於圓慶樓下，有路之名。帝大怒，召臣僚議罪時，崇賢侯赴京道，過佛跡山。路遮道哀訴，曰：「願垂情救一貧僧，異日寓胎爲報。」侯頷之。及至庭議，僉曰：「陛下以無嗣，故彼托生，而路以呪解，宜加極刑。」侯奏曰：「覺皇若有神力，雖百路呪解，夫復何爲？今反如此，路出覺皇遠矣。臣愚以爲與其罪路，莫若賜之托生。」帝以爲然，於是徑至侯第，於夫人沿處。夫人怒以告侯，侯素知其意，置之不問。夫人於是有娠。路囑侯曰：「臨誕可先來報，及滿月轉胎。」侯使人告之，路乃澡身易服，謂其徒曰：「吾宿緣未了，猶且出爲天子。若見身有殞壞，是以沈入深海，不在生滅矣。」其徒聞悲泣，路示偈曰：

秋來不報鴈先知，堪笑人間勞自悲，為汝門生傳著論，古師幾度作今師。

言訖，儼然離此殼漏。夫人遂生子，命名楊煥。年及三歲，仁宗養之宮中，立爲太子。仁宗崩，楊煥即位，是爲神宗，乃路之托生也。

初，長安大黃人姓阮名至誠字明空，少時耽心釋典，師事徐路歷二十年。路獎其有志，深爲印節以予。及路眞寂，謂至誠曰：「昔吾世宗道已圓成，尚有金鎗之報，以道法公微，寧自免乎？吾當復出世，居人主位，便生病債，理數難逃，於汝有緣，可相救解。」及路隻履西歸，明空復還故里，居國清寺，優然自得，不求聞達。然神宗瘦病，煩亂心神，咆哮號虎，聲勢可畏。良醫應詔而至者甚多，莫能措手。偶有童謠曰：

要治天子疾，須得阮明空。

乃遣使求之，得於國清寺。明空下舟時，欲食棹卒，乃以飯一小鍋予食。曰：「貧僧飯少，恐不能充爾等腹。」已而，衆食不能盡。明空又曰：「汝等暫少頃，待潮漲，然後發行。」衆從之，纔頃刻間，已到京矣。衆皆驚異，使使者接明堂入見。明空持大釘，長五六寸許，釘於殿柱，厲聲曰：「能拔此釘，方可療疾。」如是再三，人莫能應。於是以左手拔之，衆皆驚異。及謁見帝，厲聲曰：「大丈夫貴爲天子，富有四海，乃發此狂亂耶？」帝大驚服悚。明空以大鑊煮水百沸，以手攪之數回，遍浴帝身，其疾尋愈。乃拜明空爲國師沙門，以褒賞之。至太平二年入滅荼毗，年七十六矣。

五戒　一不殺生，二不偷盜，三不邪淫，四不妄言倚語，五不飲酒食肉也。

睚眦　杜牧傳云：「報睚眦冥目也。」言有舉目觸忤之者，卽報也。

眞印 言得道者傳曰眞印。

衣鉢 謂得道傳得衣鉢，出佛經。

竿頭 拓賢大師偈云：「百尺竿頭更進步，十方世界是全身。」言百尺竿頭之高，更須添工夫，若百尺竿頭再進一步，則氣形無相，眞空之悟，工夫極矣。

象鼻 象之一身，運用在鼻。此言弄象鼻者，喻其專於運用也。

麈尾 麈音主，鹿之大曰麈，群鹿隨之，皆視所往，麈尾所拂為準。

清海 般若能變化生人，使之智愚若海中之船，渡人登岸故也。

昏衢 四達之路曰衢。言般若有如巨燭，照人於暗路也。

怨府 府，聚也。左傳昭公二年，昭子謂叔仲曰：「吾不為怨府也。」言不能為李氏逐女，以生怨府之聚也。

隻履 後漢達摩自梁至魏，端君而逝，謂隗脱去也。後三年，魏宗使西域遇達摩於葱嶺，手持隻履，翻翻獨行。問師何往，曰：「西天土。」明帝開墳視之，此一隻履存焉。

荼毗 僧生化曰入滅，火焚曰荼毗。

孔路覺海傳

李嘉慶中，有僧姓楊，字孔路，青海人也。世常以魚爲業，孔路棄業出家投佛，同鄉人覺海相爲友善，遊荷擇（澤）寺，棲焉。草衣木履，乃忘其身外，嚴梵貝（唄），從事比丘內外禪定，心神爽然，粗有大鑒眞印。有時爲羽客，有時作毛仙，覺有兜率泥珠之報，復於本縣寺居之，占成一塢白雲之妙，以掛錫焉。時有侍者白雲曰：「某自來至玆，未蒙指示心要。」敬呈一偈云：

鍛鍊心神始得清，森森直幹對天庭，有人來問空空法，身坐屛邊影集形。

「此何謂也？」孔路警之曰：「汝從山來。吾爲汝接。汝從水來。吾爲汝受。何處不與汝要？」乃呵呵大笑。會大慶十年己亥三月五日順寂，其徒收舍利，葬於寺門。

初，覺海慕釣魚，常浮遊江湖，年二十五始舍竿而從事桑門。居荷澤與路相爲序獵（蠟），尋爲孔路法嗣。後復還延福寺，逍遙獨樂，不求於人，寺中有所隨時收用，以爲伊蒲之具。時李仁宗嘗與通玄直入蓮骨山，於涼石坐觀，忽有蛤蚧對鳴，聲聞可惡。帝命玄指之，玄默呪生，隨墮其一。帝笑謂覺海曰：「留一與汝。」覺海注目，少頃，一個亦墮。帝異之，乃作詩以贊美之。曰：

覺海心如海，通玄道亦玄，神通能變化，一佛一神仙。

由是馳名天下，俗僧多傾慕之。迨神宗朝，累徵不起。或問：「佛與衆生，孰爲賓主？」乃題一偈云：

一覺你（儞）頭白，報你者作害，若問佛境界，龍門逢點額。

及臨終時，示衆偈云：

春來花蝶善知時，花蝶須更是應期，花蝶皆來知有刼，莫將花蝶向心持。

是夜星隕於大寶宅東隅，時達旦，端坐眞寂，至今猶聞其名焉。

蠻娘傳

初士王時，瀛婁城南有寺名福嚴，有僧號迦闍黎，從西方來居之，能行獨脚法。民多敬畏，應承不暇，樂入惠門者甚眾，而鑾娘亦與焉。每於朝夕，爭趨香積之厨，以奉桑門之饍。一日，僧講經，夜深乃罷，於是各散歸堝蘆，僧獨歸方丈。時鑾娘當熟睡，漸以忘機，僧叩其門，喚之莫醒，遂行身上，鑾娘暗然心動，已而懷娠。垂及數月，面常愧赧，若無所容，而僧亦恥之，遂置其寺，各適所去。鑾娘行至源頭江岐，望其邊有寺，遂居之，滿月生一女，復尋僧。囉迦還至岐（歧）路榕樹處，夜將自付之，囉迦指榕樹，謂之曰：「寄汝佛子，汝其藏之。」樹乃剖開，遂納之，樹遂合去，鑾娘辭去。會僧於別寺，僧賜一杖，囑曰：「以此贈汝歸，見歲旱，以此杖立地，必得見水，可以救之。」鑾娘復歸福嚴寺，每遇歲旱，必以此杖立地，以爲普施之方。後鑾娘年八十餘，會秋月江水漲溢，樹隨崩流至寺前津邊，旋遠不去。人爭斫伐，刀斧盡折，於是併力拽之，樹終不動。會鑾娘下津，以手攀之，樹隨轉動，眾皆驚異。欲使鑾娘搴於岸上，分爲四段，以作佛像。惟本一段於藏女處，乃化成堅石，匠之投之於淵，忽見光芒送出如虹，頃刻，其石始沉，投者立隨倒地。眾恐懼，復借漁人入淵取歸，刻木爲佛像，粧飾以金。闍梨至，遂設諸號，曰「法雲」、「法雨」、「法雷」、「法電」，四方禱雨，無不驗應。因謂鑾娘爲佛母，其後四月八日，鑾娘投館，葬於寺側，人以是日爲佛生辰。士女咸集，以爲勝會，年年遊戲，舞曲笙歌，娛弄百端，遂成其俗。因號爲浴佛會，至今猶有之。

何烏雷傳

陳紹興間，有姓鄧名仕嬴，麻羅人也。妻武氏，有殊也。時仕嬴奉命使北國，鄉有神，名麻羅，乘仕嬴在外，乃化爲丈人，肖仕嬴言語形象，深夜冒雨而來。武氏怪問之，曰：「郎君已奉使北國，如何復歸？」答曰：「帝已使別使，召吾奉侍左右，常以圍棊，不復出入。然夫婦之情故，輪回與汝瀉其恩愛，明日復朝，不敢久居，鷄鳴而去。」武氏情深疑惑而不能解，自是暮來晨去，眷戀彌深。及士嬴歸，武氏懷胎滿月矣。士嬴以聞，下武氏獄。是夜，帝夢一丈人來前奏曰：「臣庥羅神也，取妻有孕，爲士嬴所爭。」帝覺，明日命獄官將武氏來，斷曰：「妻還士嬴，子還庥羅神。」居數日，武氏生一黑包，包開一男，皮膚似墨，因名烏雷。以其神無姓，乃以「何」字爲姓。烏雷雖黑，然其潤澤如膏。年十五，帝召入侍，甚信愛之。

一日，烏雷出遊，逢一人，形神秀異，自稱呂洞賓，謂烏雷曰：「郎好貌，欲何求？」對曰：「當今天下太平，國家無事，所好者，聲色以娛耳目而已。」洞賓曰：「爾之聲色，得失相當。」乃引口唾入，使自呑入。洞賓忽而不見，自是烏雷精神覺爽，雖不識字，而辨敏過人，詞章吟詠，無不精麗。每於橋櫟寺館，閒吟逸興，既去之後，而餘音不絕，響響然。橋櫟之間，人無不樂聞者，婦人女子屬意尤厚。帝嘗爲之笑曰：「烏雷奸犯，當來予百婚。」時仁睦鄉宗室貴人郡主金蓬娘者，姿容美麗，顏色傾城，嫣然一笑，惑陽城，迷下蔡，年二十三而寡，帝欲求幸，不得，思念不已。謂烏雷曰：「汝將何計得之？」對曰：「臣願假一年爲期，如不見來，是謀不成，臣已死矣。」乃拜辭而去，於是放却衣裳，浸塗泥濘，曝雨當風，卒成醜陋。着弊布袴，爲牧爲奴，直至主家，賂閽者，入園刈草。時茉莉方盛，烏雷盡刪而納諸擔。侍奴以告主人，怒，命繫問之。烏雷曰：「僕是漂泊之人，無所依倚，常以唱兒借擔。昨見官馬於南城門外，賜僕五錢，使之刈草爲株，僕喜而爲之，疑是良草，不知茉莉爲何等物。今無償，願沒入爲奴，庶幾免其罪。」主猶以爲不然，拘於門外。月餘，有奴婢見其飢渴，與之飲食。烏雷深自得，每於良晨之前，遙吟逸興，以酬其意。聞者莫不窮睇盼，忘其色而深其……。

一日，主逍遙獨坐，乃大怒。召奴婢來，責以不供之罪，欲加以箠楚。皆頓首，謝曰：「臣等不敢廢事，但樂聞奴馬兒唱，不覺至此，笞楚及耳。」主置之不問。後，主嘗與家奴坐庭迎風玩景，以爲勝賞。忽聞烏雷歌吟之聲，恍然若鈞天節調，非世上聲音可比。精神移變，放心不收，乃召烏雷入待，置之左右，爲親近之奴，每令吟詠，以舒鬱結之懷。烏雷益加努力，順承膝下，動容周旋，毫毛不遠，求之俯仰之間，豁然自得。有吟嘲風之歌，曰：

風何颯颯自土囊，出幽谷兮漸飛揚。向來閬苑弄韶光，伊誰謾自立幡行。入北窗兮稱羲皇，來陽臺兮娛襄王。送人柳下兮迎客海棠，解幾慍兮些此姨娘。

有吟謔月之詩，曰：

儘是陰精似玉盤，羨渠為物最靈端。東西宿泊無常處，沒見盈虛不一般。都向白駒光借隙，必容素女間高關。長存不老同天地，感動時時不暫閒。

其歌吟之聲，楊柳之調，鴈爲扶遙，魚爲衝貫。主因而感動，遂成幽疾，數月之間，愈加煩劇。奴婢從服勤勞，一夜熟睡，主人喚，莫能覺，唯烏雷應聲而起。主知疾已逼，其情不能禁，乃低聲謂烏雷曰：「爾之聲音，靡我精神，勞我思慕，以致於此。且以曩時之事觀之，爾於庭中放聲一唱，秋風颯颯而來，白雲徐徐而過，物尚且爾，況於人乎？開赤心示汝，吾不以高下介意，汝誠能心同琴瑟，言鬱蕭菹，斷不煩他醫下手，而自瘳矣。」烏雷曰：「僕是隻身微賤，一介寒單。才非有剛柔之善，智猶乏進退之機，致有深突窮園，偶遭縲厄，幸而得免，畢以爲奴，寵作股肱，委爲心腹。故烏雷得以托庇於餘陰之下，自無窘迫調度之憂，誠三生有幸矣。至於歌唱之事，未能契合人情，僅是快他眸子，驚聞眾坐，曾無李襄之能感動人情，何有龜年之善較藝。曷居人上，質他敢恃己長？不意高顏曲垂下聽，以至於此，遽命合巹之歡，陶陶於永久，側外之榮暢矣。但念僕非朱門之子，只有赤身之微，欲魁梧奇偉之資，有鼠頭麞目之累，而與伉儷恐未妥當，僕敢致辭。」主曰：「嘻！汝誤矣。夫洞燭理者，舉一隅以反三偶（隅）。善用人者，取所長而棄所短。且以時事觀之，論其節則湖陽再續新緣，論其貴則仙容下嫁釣子，使可譏誚，則前輩有餘矣。況人情所深愛者，聲色而已，以絕世之聲，媲絕世之色，何有不可？而反致多言。倘汝過於拘泥，執剛不屈，遲數月，則病不可為矣。」烏雷曰：「唯！唯！誠如尊諭，可謂確然不拔矣，敢不從命？」於是主疾尋愈。自是而後，諄諄結好心神，匿匿迷身耳目。知有烏雷而不知有奴婢，欲分賜田土為園宅。烏雷曰：「僕本無家產，今遇寡君，是天仙之福也。不願田土園宅，願得金陵粧玉冠試之一帶，死誠瞑目矣。」主無所惜，遂與之。烏雷得冠，暗行以見帝。帝大喜，即令召主，使烏雷戴冠而行立。帝問主曰：「曾識烏雷否？」主大慚，自是烏雷之名動天下，王侯之女作詩以嘲之。曰：

幾年霜雪獨眠孤，一節無虧守節符，自是彈傾聞唱後，翦夫已認作難夫。
顯動人兮尤物為，物隨人動有誰知，看來聲色無優劣，色為聲移聲色移。
顏色傾城集蝶蜂，斷絃不肯更重膠，謂何圖取君王計，管教奴來解髮封。

然烏雷之聲深注人意，避之亦不能免，常私通王侯之女，而莫敢殺者。一日，與威明王之妹通，為家所獲而未敢殺者。明王八朝奏曰：「烏雷夜入臣家，黑白難明，誤殺如何？」帝曰：「臨時格殺勿論。」王歸置烏雷於石杵，殺之。烏雷臨死時，有國語詩云：

誰令藍橋志不堅，一日恩愛情萬千；若有知音來相問，謂余往尋南岳仙。❶

又曰：「昔呂洞賓謂烏雷：『爾之聲色，得失相當。』至是其言驗矣。」烏雷既死，聲沒入石，後人聞杵石之聲，猶有感焉。

橋梁　魯俄之齋，過鷰假食，既歸而餘音遶梁，三月不絕。

嫣然　笑之淡者曰嫣。陽城，蔡地名。亦意傾國傾城之意也。

闍　司門人曰闍。

睇盻　睇，小視。盻，斜視。

鈞天　秦穆公夢至帝闕覺鈞天廣樂。淮南子曰：「凡天之下小大曰均天。」

閬苑幡行　崔元微於夜月，見殊色女伴求十八姨相花，煩列七焉，且肯作幡圖日月五星立苑東，崔從之，而風剖地，披花飛，而苑中不動也。

襄王羲皇　晉陶潛夏月高臥北窗，每秋月徐來，自謂羲皇中人，襄王夢女人謂曰：「妾朝行雨，暮行雲，朝暮常在陽臺之下。」

姨娘　夏月盛暑，人多陷於楊柳海棠之下，以迎風解縕。詳見虞史。姨封，神屬名。

王盤　唐李白詩：「少時不識月，何為似玉盤。」

借隙　月木無光受日之光，故云借隙。

蘭萓　心同於琴瑟，則言爵於蘭萓。

李袞　李袞善歌，聲動京師。崔昭入朝，蜜帶而坐。昭廣延客，以為盛會。乃詐云：「予有。」詐云：「欲登未坐。」袞弊衣而出，滿坐嘆笑之。頃，昭曰：「請表弟受。」袞反喉鴉一聲，衆大驚曰：「李八郎也。」皆羅拜之。

龜年　開元中，李龜年善歌，特承恩。遇其後流落江南，每遇良辰為人歌，數闋聞之，敢不感泣。

魁梧　魁，大也。梧，悟也。周勒言：「張良智有餘，以為使人覺悟，何反若婦人女子乎？」

玉冠　此冠乃先帝賜郡主，使戴之以進朝賀之禮也。

【校勘記】

❶ 原作喃字「徯唯藍橋色易堅，没得恩愛渲閁顏，知音氷客油嘆晦，浪色蹺隊南岳仙。」今譯成漢文。

神珠傳

前吳時，有姓鄧名決，洪州橋暐人也。與鄉人阮善射相爲友，二人常以捕魚爲業。一日入海，偶見一物，形狀類木，長三寸許，色如鳥卵，隨潮流至。二人取之以歸，及聞物中有聲，若相對語者。二人驚懼，却之中流，移船別州宿之。後，二人夢有人來，謂曰：「我乃美龍之子，東海龍妃所出也。曩者美龍與交而生我，恐東海王知之，故寄與汝等守護，莫令他物觸之。我長成必能福汝，無他憂也。」二人旣覺，以事相告，乃顧之江邊，見那物已負船矣，深自靈異，載之以歸。至布拜鄉，其物忽躍峰上，二人以爲此必欲留之意，環珓得吉，遂創立祠宇，刻爲神像以事之，能通靈應。後丁先皇使人入海求球，徧行海口一無所獲，惟阮、鄧子孫得之甚多。吏問其故，乃以禱神爲對。吏歸以聞帝，遣修禮，由是大獲。遂頒詔褒封爲「神珠龍王」，以其本美龍之子故也。然惑邪人呪咀，亦隨害之，有及良善，非神之德也。

東海妖魚傳

上古時，大海之東有妖蛇，其長準五六十丈，多足如蜈蚣。行則動風雨，能潛藏着見大小幽明，遇物橫呑直啗，人多狼狽隱迹不暇。後死化爲魚，居於海島。歲時積久，產育衆多，能通言語，變化爲人，喜食。人物往來東海，道經魚穴，多爲魚騰踏，傾覆船艦，卒成魚弭者。或相貿易，誘至穴房，執而食之。凡有魚船至此，操持謹候則吹浪江純，少有逆意則怒移水蟹，或被其害。於是并力開別路通行，遠避腥膻之境。而岩巉岩窊，林下欝結蟠旋，斤斧不加，實難下手。乃悲歌慷慨，環立而視，哀怨之氣冲天，嘆恨之聲滿野。有叩青穹而嘆曰：

嗟乎！以羸蟲之長，而為鱗種所傷。蜃樓之波浪不通，颶母之狂風無定。加以狐蜮射影，蛟吐驪涎，大黿齒引長鰐尾，縱欲鑿山開巷，可以通行，而頑石堅木，無由改力。況人生億萬，四業各勤，一事缺焉，則人情難遂。今者如此，意者天禍一方之衆歟！何若是之甚耶？

嘆息而歸，是夜聞山間隱隱有聲，如擊柝之狀，衆心蠱惑，狐疑不解。有暗行至屏處，潛窺其所爲者，見人人頓殊。有扇鯉魚風以折板木者，有持白虹劍以斬木者，又有駕赤虬從南方而來，有乘龍駒由北方而至，咸奮鯤躍之威，不譬撞蟻之穴。頃刻之間，將成大巷。忽聞山上鷄鳴，於是一一散去。達旦往視之，見其巷及半功而止，皆嘆惜不已。始知鷄衆憐憫衆生而作，妖魚失意，化爲鷄鳴以昧之也，至今猶謂之「仙穴」者。自是以後，群魚得志，肆爲口蛇心佛之謀，徧行山高海峰，誘致愚民，爲禍愈烈。蠻民不勝其禍，相率而呼龍君，曰：「逋主何在？忍使妖魚殘害吾民。」龍君倏然而來，人人哀訴。龍君於是勅陽侯（波神名）嚴戢波濤，乃假爲商船，施施從上頭流而下。魚聞聲戛戛而來，乃戴舊形，離穴半里以迎之。龍君持一人，若將予者，魚張口欲吞之，遂投炎熱鐵丸。魚口爛敗，不勝憤怒，踴躍騰踏，其船幾覆者三。龍君出騰空之劍以斬之，斷其尾，鋪之山下，因號「白龍尾山」。魚身覺殊痛，馳入穴底，乃以石炭投之，炎醲相攻，殄滅殆盡。惟元惡者排出奔馳，又追斬之，投流海山，化狗遁走，從而滅之，因號「狗頭山」。身流入漫，因號「漫梂」，蓋以俗呼狗爲梂故也。

江狁水蟹 狁，獸名。晉解糸與王倫有隙，後倫得志，收糸兄弟。梁王救，倫曰：「我生水中，見蟹猶惡之，況此兄輕我乎？」蓋以糸姓解，而蟹頭有「解」字，故惡之。

蠻蟲鱗種　三百六十年而人長，可（所）以人為蟲之長，故蠻蟲之長，鱗蟲三百六十年而龍長，魚者鱗之種也。

蜃樓颶母　音慎，水所居，曰蜃樓。南海夏秋必有彙如虹，謂之颶母。

蛟　主潭上吐涎，人為涎所遇，遂溺死。

鼉鰐　鼉似鼈而大，其卵在山谷間，或為鼉，或為鰐，喜介人畜。鰐似守宮而大，其長大數丈，齒如其有刀，搏物以尾捲去，如象之在鼻也。

鯉魚風　秋月之風謂之鯉風。李賢詩云：「鯉魚風到芙蓉老。」

白虹劍　吳王有劍，謂之白虹劍。

騰空劍　鎮府云：「高陽有晝影騰空劍。四方有兵，以劍揮之則克。」

白狐九尾傳

上古時，昇龍城為村民所居。城之西有小岩，東沿瀘江而枕蘇瀝，南北相連迥里。岩有小穴，深幽窊窔，九尾白狐居之，生有九子，乃千歲狐精也。善為妖媚，變化百端，多為民害。有化為人，衣白羊裘，而尋春之客，排謔誘來，藏諸岩穴者。有著白鶴鵝衣，縱白衣蠻，唱歌以誘歸者。聞其言，有蟬聯不斷之意；見其色，有生龜脫笥之難。或吟蒼山之歌，曰：

山沓嶼，木蟠環，磙磙群居有幾安？象為牙兮壽也難，翟為羽兮易亡殘，羊道士兮虎石頑。

經叱咆，被弓蠻，紛紛不一定其間，孰能識我白衣間？

或唱弄月之歌，曰：

自從暘谷至金樞，耿耿餘光愛白駒。霓裳舞曲素娥過，屬意陽臺有若無。誰謂姮娥不嫁夫，杜鵑（鶻）何事悵長吁？誰為姮娥遠天衢，纔得歸來大手儒。淸樂乎，濁樂乎，自情自料勿眠孤。

其謳吟歌唱之聲，楊柳婉轉之調，多是漂蕩愛河，流沉欲海，糜困人情者也。

時雄王素聞其事，命雄將將兵除之，則變化無窮方，弋羅不入，舉世無能爲者。會群臣論殄除之計，貉侯曰：「彼爲妖獸，而欲以人力制之，是猶使喬蛇馳海，蚊虻負山，何以能勝？不如表奏龍君，使奮威靈以除之，必有韓盧蹇免之效也。」王以爲然，於是制爲表文，使文人進於龍君，其辭曰：

伏以鷄卵分儀，人物從玆繁夥；鰲足定極，南北咸有界疆。君能行善政多端，要不若憂民一念。臣竊惟我越方初建國，世系出自羲皇，洪惟聖祖接轡來荊之初，創洪圖而出治，欽惟皇考繼志述事之後，握大象以持權。曁於藐躬丕承大統，封域守祖宗封域，屛息狼煙；人民保祖宗人民，無驚犬吠。奈玆狐孽，妄肆妖氛，嘯雨嘷風，狹狙詐以欺孤弱，來山去野，假虎威而昧餘群。何紫之荒淫弗除，神獸之貪婪殆甚，捨之則與妖作怪，踵牝鷄風；伐之則隱跡藏形，浮任婦計。射獵不堪人力，殄除須仗天威。尚其鑒蟻悃之誠，曲垂俞允，早申命象牙之將，振耀英威，大興甲冑之師，長驅破浪之勢。悉滅青丘之迹，掃穴除妖，溪蘇赤子之心，案堵如故。國勢增山河之重，天下享安靖之休。無任仰聖戴天之至，謹奉表奏以聞。

龍君按之讀訖，大喝曰：

彼以黔驢一技，鼯鼠五窮，乃敢縱蠆尾興妖，肆狼心逞亂，私自魚肉生民，如此，豈可坐觀而不救之哉？

遂興風作雨，漲水揚波，鑿破岩穴，遂成大潭，殺大狐幷其子，死浮潭水，因號爲「屍狐潭」，今西湖是也。其潭深闊，彎遶里餘。雄王於此立祠觀鎮之，即千年寺觀羅寺也。湖之西岸，村民居之，至今猶謂之「湖村」。其穴偃然尚在，今謂之「狐穴」焉。

昇龍城　李太祖建都於此，見黃龍於御舟頭飛昇，因號昇龍。至皇朝洪武為奉天府。

妖媚　本草云：「白狐尖鼻尾大，善為妖媚。」

白蠻衣　上古時，傘圓山有人教以耕種，及經織樸素之文，因號為白蠻衣。

蟬聯　謂語意不斷，如蟬聯之聲也。

黿筍　筍，殼也。椎卜鑽龜以占之者，皆生取殼。人之情愛難捨，亦如龜之難脱其殼也。

象牙翟羽　象為牙焚，翟為羽亡，蓋人愛其象牙、翟羽而然耳。

羊道士　初羊年十五，牧羊道士。

虎石　陳李廣行，見石在草，以為虎射之。

暘谷金樞　暘谷日出東方之處，金樞日没之窨。

素娥　唐逸史明皇與申六師遊月殿，見素娥十餘人，皓衣，乘白鸞舞於廣處大桂樹下，樂音麗，上為製霓舞曲。

愛河欲海　升玄經云：「人不割絕恩愛，是猶流溺於河海。」

商鉅　蟲名，卽馬絃也。言能使馳河，負山不能勝也。

嘯雨嗥風　大帖云：「狐嗥風嘯馬，夜見晨趨。」

青丘　狐神名，出青丘。山海經云：「青丘之狐大尾。」

何紫神獸　名山記云：「狐，古之淫婦，其名紫，死化為狐故。」又云：「狐，神獸，有三德：小前，大後，死則首立也。

猖狂鬼傳

上古時，峰州之地有一大樹，名檀檀（木香也），高千餘丈，枝葉蟠旋，屈數十里，有白鶴一雙棲於其上，因名其地爲「白鶴地」。其樹歲久枯死，化爲妖鬼，勇猛有威，多爲民害。涇陽以神術勝之，妖氣稍屈；然猶出彼入此，難以測量。人甚畏之，號爲「猖狂鬼」，立祠以事之。每於歲暮，常以生人祀之，其民始安。我國之西南，近獼猴國，雄王命婆娑國蠻（今演州也）與之交通，潛奪其子，納之以供其祀，歲以爲常，無能爲者。歷秦始皇，以壬囂爲龍編令，囂無人祀，遂暴病而死，自是愈加嚴畏。至丁先皇，有宋人名文俞，躭心釋典，不事生業，常周遊四方，能通四夷言語，至是過我國時，八十餘矣。先皇聞有奇術，乃以師禮待之，欲除猖狂鬼者。文俞曰：「彼誠難以法力制勝，自非爲謀之善，不能勝也。」乃以其術誤之，有曰騎、曰竿、曰釣、曰險者，常以歲暮行之，以獻諸神，此亦以爲誤猖狂鬼。騎者，騎馬奔馳，乘身取物於地不墜也。竿者，身自仰臥，以足底盛表竿，使人策竿頭而不倒也。釣者，造飛雲橋，高十二尺，編麻爲大索，長二十六尺，繫兩頭埋於地，加樹上疾行騰踏，優遊往返，懸身俯仰，而不墜者也。險者，拍手踴躍，歡呼咆哮，展轉返側，進退高下者也。而多擊鐘鼓，諠譁亂噪，吟詠舞蹈，以助其□。國內設盛以祀之，猖狂悅而享之，不虞他事。文俞因其不意，持秘訣斬劍而滅之，部衆盡散。自是氣氛屏息，民安其生焉。

夜叉王傳

上古時，我國之南界有沙嚴國，其王號夜叉王，又名長烏王。其國北倚胡孫精國，孫精太子名徵姿，有美貌妻，名白淨娘。淡施粧粉，自有艷容，其花見羞，其蝶相隨，所謂秀色可愛者也。夜叉王聞之，欲得爲婦，乃潛襲。率衆襲擊胡孫精國，奪白淨娘以歸。徵姿大怒，遂以獼猴國之衆，移山塞海，悉爲平地，以 其衆，攻破沙嚴國，殺夜叉王，後取白淨娘以歸。蓋胡孫精乃獼猴之精也，其王名十車生，今占城國是也。

越南漢文小說叢刊 第一輯 總目錄

國立中央圖書館出版品預行編目資料

越南漢文小說叢刊．第二輯／陳慶浩、鄭阿財、陳義主編，--初版．--臺北市：臺灣學生，民81
冊； 公分
ISBN 957-15-0461-0 (一套:精裝)

868.357 81005761

越南漢文小說叢刊 第二輯

神話傳說類 第一冊

①嶺南摭怪列傳
②嶺南摭怪列傳卷三・續類
③嶺南摭怪外傳
④天南雲籙

主編者：陳慶浩 鄭阿財 陳義
出版者：法國遠東學院
本書局登記證字號：行政院新聞局局版臺業字第一一〇〇號
發行人：丁文治
發行所：臺灣學生書局
台北市和平東路一段一九八號
郵政劃撥帳號〇〇〇二四六六八號
電話：三六三四一五六
FAX：三六三六三三四
香港總經銷：藝文圖書公司
地址：九龍偉業街九十九號連順大厦五字樓及七字樓
電話：七九五九五九五
三類 二〇種 全五冊
定價精裝新臺幣二〇〇〇元
中華民國八十一年十一月初版

86802-1

ISBN 957-15-0461-0 (一套：精裝)
ISBN 957-15-0462-9 (精裝)